DE
ALLERGIE
Survivalgids

Nico De Braeckeleer

in samenwerking met
Prof. Dr. P. Gevaert

Doelgroep:
8- tot 14-jarigen

Auteurs
Nico De Braeckeleer
Prof. Dr. P. Gevaert

Coördinatoren
Marjolein Noé
Katrien Vanherpe

Cover en Illustraties:
Josine van Schijndel

Vormgeving:
Miet Paesmans (binnenwerk)
Inne Van den Bossche (cover)

ISBN: 9789059327795
D/2011/6699/82

Bestellingen
Abimo Uitgeverij
Europark Zuid 9
9100 Sint-Niklaas
t. 03/760 31 00
f. 03/760 31 09
w. www.abimo.net
e. info@abimo.net

wist je dat...

... in bepaalde landen (zoals in India) mensen het vies vinden om in een zakdoek te snuiten? Daarom snuiven ze hun snot op, slikken het door of rochelen het op en spuwen het daarna uit. Smakelijk...

wist je dat...

... het in Europa vanaf november 2005 verplicht is voor elke voedingsfabrikant om op het etiket van zijn product te zetten of het noten bevat? Dit omdat heel wat mensen allergisch zijn voor noten.

wist je dat...

... sommige shampoos en make-up bestanddelen van ei bevatten en je dus deze producten niet mag gebruiken als je een allergie hebt voor eieren?

Opdracht

Opgedragen aan alle kinderen met een allergie of astma en aan hun ouders, broers, zussen, andere familieleden en aan alle zorgverleners.

Dank aan

Prof. Dr. P. Gevaert, coördinator allergienetwerk UZ Gent
Prof. G. Brusselle, dienst longziekten
Dr. F. Haerynck, dienst kinderlongziekten
Prof. F. Debaets, dienst kinderlongziekten
Dr. H. Lapeere, dienst huidziekten
Prof. dr. M. Vanwinckel, kinderdarmziekten
Dr. R. Debruyne, kinderdarmziekten
K. Blomme, allergieverpleegkundige

Dienst Neus-, Keel-, Oorheelkunde
Dienst Longziekten
Kinderziekenhuis Prinses Elisabeth
UZ Gent, Universiteit Gent
De Pintelaan 185
9000 Gent
Tel: 09/332.67.08
www.uzgent.be

* Astma en Allergiekoepel
Park Heuvelhof 1
3010 Kessel-lo
0800/84321
Tel.: 016/25.31.11
Fax: 016/25.31.16
info@astma-en-allergiekoepel.be
www.astma-en-allergiekoepel.be

* www.astmafonds.nl en www.astmakids.nl

VOORWOORD

Heb jij een allergie? Wel, dan ben je helemaal niet alleen. Tegenwoordig zijn ongeveer 1 op de 3 mensen allergisch. Daarom deze handige survivalgids. Een allergie hebben is vervelend, maar met wat goede tips en ook soms wel een pilletje of een puffer kom je comfortabel door het leven. Ja, wist je dat zelfs een hele reeks bekende topsporters een allergie hebben...

Lang geleden mochten kinderen met grassenallergie in de lente en de zomer niet buiten spelen. Maar die tijden zijn voorbij! Er is nu goede medicatie en zelfs vaccinatie, zodat je gewoon zoals andere kinderen buiten mag spelen, sporten, op kamp gaan... Buiten spelen is gezond en ook voor kinderen met een allergie. 't Is maar dat je het weet.

Dit en zoveel andere weetjes en tips vind je verderop in deze survivalgids. Deze tips zijn bovendien niet zomaar uit onze duim gezogen, ze zijn gebaseerd op internationale richtlijnen en de huidige wetenschappelijke kennis over allergie.

Prof. Dr. Philippe Gevaert

INHOUD

INLEIDING

- Mag jij bepaalde dingen niet eten omdat je lichaam er slecht op reageert en je er daardoor ziek van wordt?

- Begint je neus in bepaalde seizoenen te lopen of heb je het hele jaar door last van een verkoudheid?

- Heb je uitslag en moet je je dag in dag uit insmeren met een zalf?

- Draag je een EpiPen bij je?

- Loop je voortdurend met een puffer of verstuiver op zak?

Als je op één van deze vragen JA antwoordt, lees dan vooral verder. Afhankelijk van de vraag waarop je JA hebt geantwoord, heb je waarschijnlijk een voedselallergie, allergische rinitis, eczeem of astma. Dit boekje is voor jou en alle andere kinderen met een allergie.

In dit boekje komen alle allergieën in een apart hoofdstuk aan bod. In hoofdstuk 2 vind je de nodige informatie over **allergische rinitis**. Hoofdstuk 3 gaat over **astma**. In hoofdstuk 4 lees je alles over **eczeem**. Hoofdstuk 5 handelt over **voedselallergieën**.

Dit boekje kan je helpen!

Dit boekje kan je helpen als je al vanaf je geboorte allergisch bent of als er onlangs een allergie bij jou is vastgesteld.

Tijdens het lezen vind je onder andere **nuttige tips** over het gebruik van zalf, neusdruppels, oogdruppels en verstuivers.

Als je een allergie hebt, sta je voor uitdagingen die andere kinderen niet hebben. Elke allergie heeft ook weer haar eigen uitdagingen. Als je een voedsel-allergie hebt, moet je voortdurend op je eten letten. Als je eczeem hebt, kan het zwemmen een probleem zijn, want het water droogt je huid uit en bovendien is het niet altijd leuk dat anderen de uitslag op je lichaam zien. Als je allergische rinitis hebt, loop je grote delen van het jaar of het hele jaar door met een schijnbare verkoudheid rond. En als je astma hebt, heb je waarschijnlijk steeds een puffer op zak.

In dit boekje vind je dus heel wat informatie over je allergie. Maar daarnaast kun je ook lezen hoe andere kinderen omgaan met hun allergie en welke bekende mensen een allergie hebben.

In hoofdstuk 7 vind je **het verhaal van Karen**. Ze is nu 20 jaar en kampt al haar hele leven met astma. Met haar getuigenis toont ze een andere kant van astma.

Heb je na het lezen van dit boekje toch nog vragen? **Geen nood!** Achterin vind je nuttige adressen van websites.

Hoe gebruik je dit boekje?

Dit boekje bevat heel wat raadgevingen en tips die je voor jezelf kunt gebruiken. Je kunt dit boekje alleen lezen of samen met je meester, juf, vader, moeder, oma of opa. Begrijp je een woord of een zin niet? Vraag het dan even aan iemand.

Je kunt dit boek lezen van het begin tot het einde, of hier en daar een stukje.
Voorin vind je een overzicht van alles wat in dit boekje staat. Bekijk het eens en kies dan wat je graag eerst wilt lezen. Elke vorm van allergie heeft zijn eigen hoofdstuk.
Aan het einde van de meeste hoofdstukjes vind je een quiz waarin je leuke vragen kunt beantwoorden.

En, o ja...
veel plezier met de mopjes in het boekje!

ALLERGIE
(3 VAN DE 10)

ALLERGISCHE RHINITIS
(3 VAN DE 10)

ASTMA
(1,5 VAN DE 10)

Wat is een allergie?

Afweersysteem

Voordat we uitleggen wat een allergie is, is het handig dat je eerst weet wat een afweersysteem is. Het afweersysteem van je lichaam beschermt je tegen indringers die je ziek willen maken. Deze indringers zijn schadelijke stoffen, die in de vorm van virussen, bacteriën of schimmels je lichaam kunnen binnendringen.

Je afweersysteem gaat de indringers aanvallen met **antilichamen** en kan zo je lichaam verdedigen. Antilichamen hebben een Y-vorm. Voor elke indringer die je ziek wil maken heb je één soort antilichaam. Antilichamen herkennen de verschillende soorten indringers omdat iedere indringer een ander soort bobbeltje op zijn lichaam heeft. De antilichamen hechten zich vast aan de indringers en verwijderen die. Ze houden je lichaam dus gezond!

Eigenlijk zou je kunnen zeggen dat, als je lichaam een voetbalploeg was, de antilichamen de verdedigers zouden zijn. Ze moeten zorgen dat de aanvallers niet scoren, en je dus niet ziek maken.

De verschillende afweersystemen

We hadden het hiervoor over het afweersysteem van het lichaam. Nu sommen we even op welke antilichamen er zijn.

- **IgM:** Dit betekent dat je eerst in contact moet komen met een bepaalde stof en dat je er daarna pas antilichamen tegen gaat maken. IgM zorgt voor een acute (snelle) afweer. Dit wil zeggen dat, als je ziek bent, je lichaam meteen tegen deze ziekte gaat reageren.

- **IgG:** Dit is de afweer van je lichaam die in gang schiet als je al even ziek bent.

- **IgE:** Dit is een afweer waarmee je parasieten (indringers) gaat aanvallen. Maar het is ook typisch voor allergie.

- **IgA:** Dit zijn de natuurlijke afweerstoffen die in je neusslijm en darmslijm zitten. Die afweerstoffen maken allergenen en bacteriën onschadelijk.

Een allergie is

Een allergie is eigenlijk een **vergissing** van je afweer-systeem. Bij een allergie gaat je afweersysteem stoffen aanvallen die eigenlijk niet schadelijk zijn. Dit kan bijvoorbeeld **een reactie** zijn tegen een stof uit de lucht (pollen) of tegen eiwitten uit een bepaald soort voedsel. De reactie van je afweer-systeem tegen deze niet-schadelijke stoffen, is echter wel schadelijk voor je lichaam. De grote boosdoener is histamine, want die is verantwoordelijk voor deze onnodige reactie van je lichaam. Histamine is een stof die wordt gevormd door de mastcellen (witte bloedcellen) in je lichaam.

Weetje: Allergie is afgeleid van de Griekse woorden 'allos' (= veranderd) en 'ergos' (= reactie).

Wat is een allergeen?

De stof die ons lichaam binnendringt en waartegen je lichaam onnodig kan reageren, noemen we het allergeen. Allergenen kunnen ons lichaam binnendringen via de luchtwegen, de huid en het spijsverteringskanaal. Enkele bekende allergenen zijn eiwitten, pollen en de huisstofmijt.

Kort gezegd: Een allergie is een afwijkende reactie van het afweersysteem op meestal ongevaarlijke allergenen.

Welke allergieën zijn er?

Er bestaan talloze oorzaken van allergieën, maar de meeste allergenen vind je in de omgeving, de voeding en geneesmiddelen. Enkele voorbeelden van allergenen die je in de omgeving vindt, zijn: huisdieren, mijtachtigen in huisstof, chemische producten, pollen en schimmels. Voorbeelden van voedingsmiddelen die allergenen bevatten zijn: koemelk, eieren, noten, graan, vis, schaaldieren, sommige vruchten en rauwe groenten. Zelfs voor bepaalde kleurstoffen in snoepgoed kun je allergisch zijn!

Je kunt dus voor heel veel verschillende dingen allergisch zijn. Maar de allergieën zijn terug te brengen tot vier grote categorieën:

Allergische rinitis

Als je allergische rinitis hebt, betekent dit dat je allergisch bent voor allergenen die via de luchtwegen (mond en neus) je lichaam binnendringen en dat je last hebt van een verstopte neus, niezen en een loopneus. Een voorbeeld van een dergelijke allergie is hooikoorts. Hooikoorts wordt hoofdzakelijk veroorzaakt door pollen van gras, planten en bomen. Ook de huisstofmijt is een grote boosdoener. Meer info over allergische rinitis vind je in hoofdstuk 2.

Astma

Astma is een chronische ontsteking van de luchtwegen. Deze ontsteking geeft klachten van hoesten, piepen en kortademigheid. Als je astma hebt, heb je dikwijls geen klachten tot je in contact komt met iets waar je allergisch voor bent. Wil je graag alles weten over astma? Blader dan snel door naar hoofdstuk 3!

Eczeem

Eczeem is een jeukende huidaandoening als gevolg van een ontstekingsreactie van de huid. Over allergisch en atopisch eczeem vind je alle informatie in hoofdstuk 4.

■ **Voedselallergieën**
Als je een voedselallergie hebt, ben je allergisch voor een bepaald voedingsmiddel. Over dit soort allergieën lees je alles in hoofdstuk 5.

We hebben al deze allergieën per hoofdstuk behandeld, want hoewel er heel wat gelijkenissen zijn tussen deze allergieën, zijn er ook nogal wat verschillen.

Hoe komt het dat je een allergie hebt?

Een allergie kan op verschillende momenten in het leven ontstaan. Een allergie kan zich ontwikkelen kort na de **geboorte** of als **kind**. En je kunt het zelfs nog krijgen op **latere leeftijd**.
1 op de 4 kinderen is wel allergisch voor iets. Dus als je een allergie hebt, sta je zeker helemaal niet alleen.
Is een allergie **erfelijk**? De allergie zelf niet, maar wel de aanleg tot allergisch reageren. Als je vader of moeder een allergie heeft, dan heb je ongeveer 30 procent kans om ook allergisch te zijn. Als allebei je ouders last hebben van een allergie, dan heb je zelf ongeveer 70 procent kans om allergisch voor iets te zijn. Als er dus andere gevallen van allergie bekend zijn in je familie is de kans groter dat je zelf ook allergisch voor iets bent. Maar dat wil nog niet zeggen dat je daarom dezelfde allergie hebt als je

moeder of vader. Het kan bijvoorbeeld zijn dat jij eczeem hebt, terwijl je moeder astma of hooikoorts heeft.

De allergische mars

Afhankelijk van hoe oud je bent kan een allergie zich op andere manieren uiten. Deze uitingsvormen kunnen elkaar opvolgen. We spreken dan van een allergische jupiter... euh... sorry... mars.

Zo zal een pasgeboren baby vooral last hebben van een voedselallergie (vooral voor koemelk) en heeft hij vooral last van maag- en huidklachten. Bij kleuters uit de allergie zich dan in eczeem. Als het kind tussen de vier en zeven jaar oud is, kan het dan problemen krijgen met de luchtwegen en bijvoorbeeld astma krijgen. Pubers hebben dan weer vaak last van hooikoorts, al is het wel zo dat hooikoorts ook steeds vaker bij jonge kinderen voorkomt.

Kinderen die als baby eczeem hebben, krijgen later vaak astma. Mensen denken soms dat dit komt doordat je eczeem behandelt. Ze denken dus dat je door het eczeem te onderdrukken astma krijgt. Maar dit is een foute gedachte! Zowel eczeem als astma komen vaker voor bij kinderen die een aanleg hebben om een allergie te ontwikkelen. De manier waarop die aanleg zich toont, hangt af van de leeftijd.

Allergie vroeger en nu

Sinds de Tweede Wereldoorlog is er een **enorme toename** van allergieën. Van 3 à 4 procent in 1945 tot bijna 30 procent nu. Zeker bij allergische rinitis en astma is er een enorme toename. In ontwikkelingslanden komen allergieën minder voor. In landelijke gebieden komen allergieën ook minder voor dan in de stad.

Hoe komt dit?

Allergie was vroeger een beetje de ziekte van de betere klasse. De laatste jaren leven mensen ook steeds **hygiënischer**. Waar minder parasieten (wormen in je darmen) zijn, komen allergieën meer voor. Als je op jonge leeftijd meer blootgesteld wordt aan infecties (bijvoorbeeld kinderen in crèches) heb je ook minder kans op allergie dan andere kinderen. Er is ook een verschil tussen leven op de boerderij met dieren of in een gewoon huis. Kinderen die dicht bij dieren leven en al van jongs af koemelk drinken, hebben minder kans op een allergie.

Dan zou je kunnen zeggen: 'He, ik weet de oplossing om allergieën tegen te gaan! We gaan allemaal vuil en onhygiënisch leven! Dan zullen er minder allergieën zijn!'

Goed geprobeerd, maar het is echt geen oplossing. Het is zelfs een absoluut misverstand. Onhygiënisch leven kan tot andere ziekten leiden en helpt bovendien ook niet. Onze levensstijl opeens veranderen helpt niets, want het komt door al jarenlang schoner te leven dat de allergieën meer en meer zijn opgedoken. Want er mogen dan steeds meer allergieën zijn, het is wel zo dat er veel minder kinderen sterven aan infecties en dat de mens steeds langer leeft.

'**Wat is dan wel de oplossing?**' hoor ik je al vragen. Sommigen stellen voor om gezonde bacteriën in het eten te doen (bijvoorbeeld in yoghurt). Maar echt grote resultaten zijn daar nog niet mee geboekt. Bij eczeem lijkt het in sommige gevallen wel te helpen. Maar een echte oplossing is er nog niet gevonden.

Wat allergieën niet betekenen

Mensen zeggen al snel dat ze ergens allergisch voor zijn. Als ze van iets ziek worden of een bepaald soort voedsel niet goed kunnen verdragen, wordt al snel gezegd '**Ik ben allergisch**'. Soms klopt dat, maar vaak ook niet.

Je kunt namelijk pas van een allergie spreken als het iets te maken heeft met je afweersysteem.

Even herhalen

Een **allergie is een vergissing van je afweer-systeem.** Bij een allergie gaat je afweersysteem reageren tegen stoffen die eigenlijk niet schade-lijk zijn. De reactie van je afweersysteem tegen deze niet-schadelijke stoffen, is echter wel scha-delijk voor je lichaam.

Hulp zoeken

Een **diagnose** (weten welke ziekte je hebt) is heel belangrijk om een allergie op de juiste manier aan te pakken.

Het is de bedoeling om kinderen die kans maken om een allergie te krijgen tijdig te herkennen. Voor de geboorte is het zelfs al mogelijk om een inschatting van het risico te maken (bijvoorbeeld als je mama en/of papa een allergie hebben), dus na te gaan hoe groot de kans is dat de baby een allergie gaat ontwikkelen. Als je snel weet dat iemand allergisch is, kan er vaak ook vermeden worden dat de allergie verandert in een ernstiger vorm van allergie of een chronische ziekte. Na het vaststellen van de diagnose kunnen de dokters ook een aangepaste behandeling beginnen.

Het is belangrijk dat kinderen die symptomen van een allergie vertonen, getest worden, ongeacht hun leeftijd. Die tests die een diagnose mogelijk maken, zijn trouwens volledig ongevaarlijk.

De verschillende tests

Het vraaggesprek

Voordat er een echte test plaatsvindt, is het belangrijk dat de juiste vragen worden gesteld. Aan de hand van de antwoorden kan de dokter al heel wat wijzer worden.

Welke vragen zal de dokter je stellen:

- Heb je **familieleden** die ook allergisch zijn? Zo ja, welke allergie? Is hun allergie ernstig? Wat zijn de symptomen van hun allergie?

- Wat zijn je **voedingsgewoonten** thuis en op school? Wat eet je allemaal?

- Welke **wasproducten** gebruik je? Met welke shampoo was je je haar? Met welke zeep was je je lichaam?

- Heb je **huisdieren**?

- Welke **planten** en **bloemen** staan er binnen en in de tuin?

■ **Voel je je gezond**? Of ben je snel kortademig? Snurk je? Ben je soms vermoeid of zenuwachtig?

■ Heb je last van een lopende neus of van neusverstopping? Nies je veel? Heb je soms jeuk? Tranen je ogen soms? **Wanneer** heb je deze klachten?

Aan de hand van deze vragen kan de dokter al proberen na te gaan of het om een allergie gaat of niet. De laatstgenoemde vragen zijn belangrijk om na te gaan of het om een seizoensgebonden allergie gaat.

Naast het stellen van deze vragen wil de dokter misschien ook even in je neus en keel kijken. Bij twijfel zal hij bloed afnemen.

De allergietest

Er zijn twee manieren om een allergie aan te tonen:

1. bloedafname: dit gebeurt meestal bij de huisarts of kinderarts;

2. huidpriktest: dit gebeurt meestal door specialisten, zoals neus-, keel- en oorarts, longarts, huidarts en kinderarts.

Bij een **bloedafname** kan de dokter je op maximaal zes allergenen testen (onder andere op huisstofmijt, bomen, katten en schimmels). Als je meer dan zes testen wil, kan dat, maar dat wordt niet terugbetaald door het ziekenfonds. Bij een sterk positief resultaat (dus als je allergisch bent) of als de dokter twijfelt, zal hij je doorsturen naar een specialist die de allergietest uitvoert.

Een tweede manier om je allergie te onderzoeken is een allergietest (= **priktest**) doen. Een allergietest gaat na of de felle reacties die je vertoont allergische reacties zijn of niet. Ook gaat de test na voor welke stoffen je allergisch bent. Een allergietest wordt meestal uitgevoerd door een dokter in het ziekenhuis. Een allergietest uitvoeren is heel gemakkelijk en gaat snel (15 minuten).

Hoe werkt zo'n priktest?

De dokter of verpleegster doet verschillende druppeltjes op je arm. Elk druppeltje bevat een andere
stof. Daarna wordt er heel zachtjes in je huid geprikt
midden in het druppeltje. (Je hoeft hier niet bang
voor te zijn. Echt niet, want het doet geen enkele
pijn. Geloof me maar, want ik heb de allergietest bij
mij laten doen zodat ik jullie zeker geen leugens zal
vertellen!).

Het laatste druppeltje dat op je arm wordt gedaan is
voor de positieve controle, dus om na te gaan of de
test wel werkt bij jou. Op dit prikje moet een rood
vlekje verschijnen met een wit bolletje erop, zoals
een muggenbeet. Dan weet de dokter dat de test bij
jou werkt. Als dat bolletje niet verschijnt, heeft de
test niet gewerkt.

De andere controle is gewoon een waterdruppeltje.
Dat is de negatieve controletest, dus ook om na te
gaan of de test wel werkt bij jou. Op de plaats waar
dit druppeltje op je arm wordt gedaan, mag geen
bolletje verschijnen. Als er wel een bolletje verschijnt, betekent dit dat je huid reageert op het
prikken alleen al en dan wordt het moeilijk om het
verschil te zien met een allergische reactie.

De andere druppeltjes bevatten allemaal een andere
stof. Als op één van die plaatsen waar geprikt wordt
een bolletje verschijnt, weet de dokter dus dat je
allergisch bent voor de stof die op die plaats werd
gedaan.

De dokter kan je zo testen voor wel 30 verschillende stoffen in één keer. Na een kwartier zie je al of er bolletjes verschijnen en of je allergisch bent of niet. Als je allergisch bent, kun je ook meteen zien voor welk allergeen je allergisch bent.

Heb je op het einde van de test maar één bolletje (het eerste bolletje: de positieve controle), dan ben je dus niet allergisch voor de stoffen waarmee de test is gebeurd.

De pleistertest

De pleistertest wordt gebruikt om een contactallergie op te sporen. Bij deze test worden verschillende pleisters met allergenen op je huid geplakt. Na 48 en 96 uur wordt onderzocht of je huid een allergische reactie vertoont.

Meer over deze test kun je lezen in hoofdstuk 4.

Pesten

Als je een allergie of astma hebt, kan het zijn dat je gepest wordt op school. **Waarom?** Iedereen die een beetje anders is dan de anderen loopt de kans gepest te worden. Maar iedereen is toch anders? Inderdaad! Daarom loopt ook iedereen de kans dat hij of zij gepest wordt. Bijvoorbeeld omdat je rood haar hebt, een bril draagt, een grote neus of een kleine neus hebt. Jammer genoeg wordt er heel wat gepest.

Het slaat natuurlijk nergens op dat je gepest wordt omdat je een allergie of astma hebt. Je kunt er ook niets aan doen dat je een allergie of astma hebt. Pesten is dan ook nooit goed te praten. Er is gewoon geen enkele reden waarom je iemand zou pesten.

Als je gepest wordt omdat je een allergie of astma hebt, kun je naar de pestkop toe gaan en zeggen dat je zijn gepest kinderachtig vindt. Durf je dat niet, praat er dan met iemand over die je vertrouwt. Bijvoorbeeld de juffrouw op school, de gymleraar of je ouders. Dan kunnen jullie samen een oplossing bedenken.

Als je gepest wordt met je medicijnen (bijvoorbeeld de puffer als je astma hebt) leg dan uit waarom je die medicijnen nodig hebt en hoe ze werken. Misschien kun je er wel eens een minitentoonstelling of een werkstuk over maken. Andere kinderen vinden dat meestal interessant.

Het is helemaal niet stoer om te pesten en misschien

kan de juf in je klas een keer praten over pesten. Dan kan ze meteen uitleggen waarom pesten kinderachtig en dom is. Wedden dat iedereen dat vindt? Dan kunnen de pestkoppen er meteen mee ophouden!

(bron: www.astmafonds.nl)

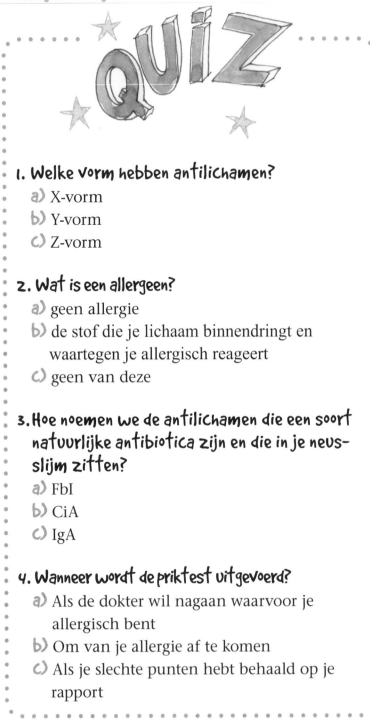

1. Welke vorm hebben antilichamen?

a) X-vorm

b) Y-vorm

c) Z-vorm

2. Wat is een allergeen?

a) geen allergie

b) de stof die je lichaam binnendringt en waartegen je allergisch reageert

c) geen van deze

3. Hoe noemen we de antilichamen die een soort natuurlijke antibiotica zijn en die in je neus-slijm zitten?

a) FbI

b) CiA

c) IgA

4. Wanneer wordt de priktest uitgevoerd?

a) Als de dokter wil nagaan waarvoor je allergisch bent

b) Om van je allergie af te komen

c) Als je slechte punten hebt behaald op je rapport

5. Welke vraag stelt de dokter zeker om na te gaan of je allergisch bent?

a) De naam van je favoriete voetbalploeg
b) De titel van je favoriete boek
c) Wat je allemaal eet

oplossing: 1b, 2b, 3c, 4a, 5c

Piet gaat met zijn meetlat naar bed.
'Waarom neem je een liniaal mee naar bed?'
vraagt zijn pa. Waarop Piet antwoordt:
'Dan kan ik meten hoelang ik slaap.'

Allergische rinitis

De werking van onze neus

Voor we uitleg geven over wat allergische rinitis is, is het handig dat je eerst weet hoe onze neus werkt en wat de functie is van ons **neusslijm**, de **neusharen** en **neusschelpen**. Ja, je leest het goed. In je neus zitten ook schelpen, maar uiteraard geen zeeschelpen ☺

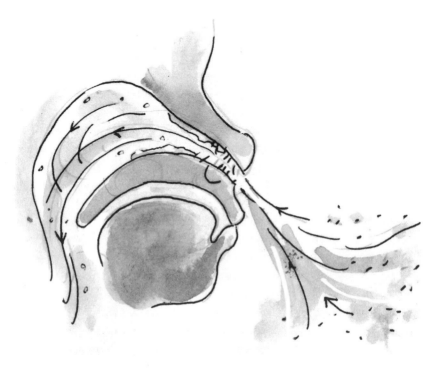

Je neus is om te ruiken, maar ook om adem te halen. De lucht die je inademt zit vol heel kleine stofdeeltjes. Gelukkig werkt je neus als een **luchtfilter**. De lucht die je inademt is vaak ook heel wat kouder dan je eigen lichaamstemperatuur. Je neus warmt die lucht op, zodat je het niet koud krijgt vanbinnen. Bovendien werkt je neus als een **luchtbevochtiger**. Op die manier beschermt hij je keel tegen uitdroging. Als je neus dus verstopt zit, is de lucht die je langs je mond moet inademen koud, droog en stoffig. En zo krijg je pijn aan je keel en aan je longen.

Tip! Ademen door de neus is de gezondste manier van ademen.

De functie van het neusslijm (= **snot**) is de ingeademde lucht bevochtigen en het opvangen en filteren van kleine stofdeeltjes en ziektekiemen.
De trilharen in je neus voeren het snot af naar je keel. Het slijm gaat naar je maag en wordt daar door je maagsappen afgebroken.

> Weetje: Je neus is ook een klankkast. Als je neus verstopt zit, gaat je stem dan ook een beetje raar klinken.

Je neusschelpen (= neusflappen) zitten vol met bloedvaten en zwellen en ontzwellen regelmatig. Als een neusflap zwelt, verstopt je neus.

Weetje: De neuscyclus is een soort kringloop waarbij dan eens je ene neusschelp en dan eens je andere neusschelp zwelt. Je hebt dus wel steeds één neusgat vrij. Als je slaapt op je zij gaat de neusschelp waarop je slaapt zwellen en dus verstoppen.

Allergie van de luchtwegen

Om uit te leggen wat allergische rinitis is, is het belangrijk dat je weet hoe ons afweersysteem werkt. Dat legden we al uit in hoofdstuk 1. Om het je gemakkelijk te maken, herhalen we dat even.

Even herhalen

Het afweersysteem in je lichaam beschermt je tegen indringers die je ziek willen maken. Deze indringers zijn schadelijke stoffen, die in de vorm van virussen, bacteriën of schimmels je lichaam kunnen binnendringen.

Je afweersysteem bestaat uit **antilichamen**. Dit zijn de stoffen die je lichaam verdedigen. Antilichamen hebben een Y-vorm. Voor elke indringer die je ziek wil maken heb je één soort antilichaam. Antilichamen herkennen de verschillende soorten indringers omdat iedere indringer een ander soort bobbeltje op zijn lichaam heeft. De antilichamen hechten zich vast aan de indringers en verwijderen die. Ze houden je lichaam dus gezond!

Bij een allergie van de luchtwegen maakt je lichaam één soort antilichamen te veel aan. Deze antilichamen behoren meestal tot het type E en we noemen die **IgE**.

Die antilichamen IgE zijn **helemaal niet schadelijk** voor je lichaam. Normaal gezien helpen die antilichamen je beschermen tegen parasieten, bijvoorbeeld wormen, in je darm. Iemand die allergisch is, maakt IgE tegen pollen van grassen en bomen of van dingen in je huis, zoals huisdieren en huisstofmijt. Als je niet allergisch bent voor één van die stoffen, kun je er natuurlijk ook niet ziek van worden.

Weetje: Een huisstofmijt is een soort spinnetje, maar dan héél klein, onzichtbaar met het blote oog. Het houdt van warmte en vocht. Het voelt zich dus heel goed in je bed, je matras, je kussen en zelfs je teddybeer.

Maar hoe komen deze kleine stoffen eigenlijk in je lichaam terecht?

Een voorbeeld: In de lente, wanneer de grassen in bloei staan, worden de graspollen (stuifmeel) door de wind meegevoerd, waarna je ze inademt.

Wanneer je lichaam er voor de eerste keer in je leven mee in aanraking komt, en je een allergische aanleg hebt, maakt je lichaam de gepaste antilichamen aan. Die antilichamen die je hebt aangemaakt blijven in je lichaam en zullen uiteindelijk de allergische reactie teweegbrengen.

Directe en trage allergische reactie

Er is een verschil tussen een directe en een trage allergische reactie.

- Bij een **directe reactie** (binnen 15 minuten) ga je niezen en begint je neus te lopen. Je ogen worden rood, gaan jeuken en tranen. Dit kan dagen of weken duren.

- Bij een **trage reactie** (na 6 uur) heb je vooral last van een verstopte neus. Dit kan dagen, weken of zelfs maanden duren. Je kunt ook reageren op andere prikkels, zoals rook, warmte of koude.

Wat is allergische rinitis?

Rinitis is de **ontsteking van het neusslijmvlies** ten gevolge van een infectie of allergie.

Als je neusslijmvlies ontsteekt ten gevolge van een infectie, spreken we van infectieuze rinitis. Dit is eigenlijk een verkoudheid.

Als je neusslijmvlies ontsteekt ten gevolge van een **bepaalde stof** waarvoor je allergisch bent, spreken we van allergische rinitis.

Allergische rinitis kan seizoensgebonden (grassen, bomen,…) en niet-seizoens-gebonden zijn (huisstofmijt, kat,…).

> **Weetje:** Allergische rinitis wordt in de volksmond ook wel hooikoorts genoemd, maar dit is een foute benaming. Bij allergische rinitis komt er geen hooi aan te pas en je krijgt ook geen koorts. Hooikoorts is een volkse benaming voor een berken- en graspollenallergie.

Een voorbeeldje

Als je in de maanden februari en maart denkt '**o wat duurt mijn verkoudheid lang**' dan zou dit wel eens kunnen betekenen dat het niet om een verkoudheid gaat, maar dat je een allergie voor berken hebt. Hoewel je dan denkt dat het om infectieuze rinitis (verkoudheid) gaat, is het eigenlijk allergische rinitis (hooikoorts). Natuurlijk kan het zijn dat het wel om een gewone verkoudheid gaat. Maar dat kun je dus laten testen met de priktest *(zie hoofdstuk 1)*.

■ **beroepsgebonden rinitis**: een bakker die niet tegen meel kan, een laborant die in een lab werkt en niet tegen muizen of ratten kan, iemand die op een aardbeienplantage werkt en niet tegen aardbeien kan, enzovoort.

> Weetje: De tien beroepen met het grootste risico op een allergie zijn: kappers, kwekers, bloemisten, bakkers, (tand)artsen, verpleegkundigen, dierenverzorgers, bouwvakkers, autospuiters en schoonmakers.

Wanneer heb je last van allergische rinitis?

Aan de periode waarin je last hebt van de allergie kun je ook meestal afleiden welke allergie je hebt.

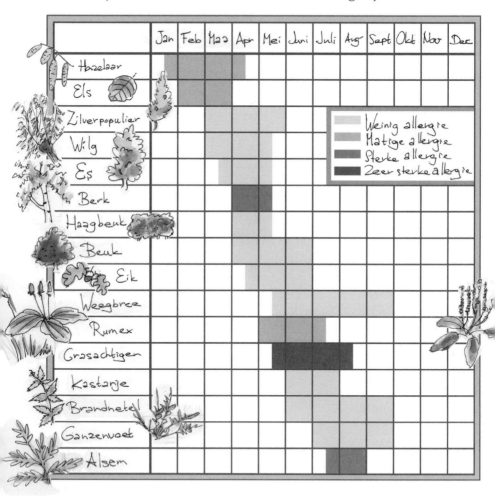

Op **www.airallergy.wiv-isp.be** worden pollentellingen voorgesteld. Op de website kun je volgen waar en wanneer er meer en minder pollen zijn.

Bij wie komt allergische rinitis voor?

- x **29,3 procent van de mensen heeft allergische rinitis.**
- x **16,4 procent is allergisch voor huisstofmijt**
- x **16,5 procent voor gras en**
- x **9,8 procent voor boompollen.**

Dit zijn de meest voorkomende allergieën.

Sneezers & runners en blockers

Bij allergische rinitis bestaat er een verschil tussen:
- **sneezers & runners**
- **blockers**

Sneezers & runners? Blockers? Wat is dat allemaal? We leggen het even uit.

Sneezers & runners zijn mensen die veel moeten niezen (sneezers) en dan ook last hebben van waterige neusloop en tranende ogen (runners). Sneezers & runners hebben dikwijls een pollen-allergie. Als je een weerman of -vrouw hoort spreken over mensen met hooikoorts die moeten opletten omdat er veel pollen in de lucht aanwezig zijn, dan hebben ze het over de sneezers & runners.

■ **Blockers** zijn mensen die vooral last van een verstopte neus hebben. Vaak weten ze niet dat ze een allergie hebben, maar als dat zo is dan zijn ze meestal allergisch voor de huisstofmijt. Ze hebben dan ook het hele jaar door last van een verstopte neus omdat de huisstofmijt het hele jaar in huis zit. In oktober hebben ze het meeste last van hun allergie, omdat in die periode de huizen goed verwarmd worden en de huisstofmijt hiervan houdt. Er zullen die maand dan ook veel huisstof-mijten in huis zitten.

Weetje: Heel wat mensen ontdekken pas laat dat ze een allergie hebben voor de huisstofmijt. Dat komt omdat ze al die tijd dachten dat ze gewoon vaak een verkoudheid hadden.

Hulp zoeken

Als je denkt dat je allergische rinitis hebt, kun je het best een bloedonderzoek laten doen of een allergie-test (= huidpriktest) laten uitvoeren. In hoofdstuk 1 kun je daar alles over lezen.

Behandeling met medicatie

Als je allergische rinitis hebt, kan de dokter je, afhankelijk van waarvoor je allergisch bent, medicatie voorschrijven, zodat je minder last hebt van je allergische reacties. Maar welke medicatie bestaat er tegen allergische rinitis? Een overzicht!

- **Pilletjes of siroop**: Deze helpen onmiddellijk als je ze inneemt.

- **Neusspray**: Een neusspray werkt traag en helpt dus niet onmiddellijk. Met de neusspray moet je elke dag in je neus spuiten (want met een neusspray in je oren spuiten zou belachelijk zijn ☺).

Tip! Zo gebruik je de neusspray!

1. Snuit je neus grondig.
2. Schud het flesje en verwijder het topje.
3. Houd het flesje vast met je duim onderaan en het pompje tussen je wijs- en middelvinger.
4. Spuit drie keer als het een nieuw flesje is of als je het al lang niet meer hebt gebruikt.
5. Breng de sproeikop in je neusgat en sluit het andere neusgat af.
6. Buig je hoofd lichtjes voorover en houd het flesje mooi recht.
7. De sproeikop niet te diep in je neus steken en niet naar je neusschot richten, maar naar de buitenkant.
8. Haal rustig adem door je neus en knijp in het pompje.
9. Langzaam uitademen langs je mond.
10. Probeer eventjes niet te niezen of je neus te snuiten.

Tip! Zo gebruik je de oogdruppeltjes!

1. Was je handen grondig.
2. Schud goed met het flesje en verwijder het dopje.
3. Trek je onderste ooglid naar beneden met je wijsvinger.
4. Met je andere hand breng je voorzichtig één druppeltje in je oog. Probeer daarbij je oog en je wimpers niet te raken.
5. Sluit je ogen en druk lichtjes met je duim en wijsvinger op je binnenste ooghoeken. Dat moet je een minuutje volhouden. Zo weet je zeker dat het druppeltje in je oog blijft.

Allergievaccinatie: Bij een allergievaccinatie worden graspollen, berkpollen en huisstofmijt in steeds hogere dosis toegediend. Na een tijdje kun je dan beter tegen deze pollen en kweek je er een tolerantie voor. Een behandeling duurt minstens drie jaar. Een allergievaccinatie is wel alleen bedoeld voor mensen die heel veel last hebben van allergische rinitis.

Weetje: De allergievaccinatie is een behandeling voor allergische rinitis maar niet voor astma. Maar het is wel zo dat de mensen met allergische rinitis door de allergievaccinatie minder gemakkelijk astma zullen krijgen.

(over astma lees je alles in hoofdstuk 3.)

Twee vormen van allergievaccinatie:

1. **Injecties:** steeds bij de arts, daarna moet je nog 30 minuten blijven zitten (veiligheid).

2. **Pilletjes of druppeltjes voor onder de tong:** Die worden toegediend bij bepaalde allergieën: grassen, bomen en huisstofmijt. Ze hebben hetzelfde effect als de allergievaccinatie.

Tips

Als je allergische rinitis hebt, bestaan er naast de medicatie heel wat hulpmiddeltjes om minder last te hebben van je allergie.

Een allergie behandelen is moeilijk omdat de aanvaller onzichtbaar is. Zo kun je bijvoorbeeld huisstofmijt wel verminderen, maar niet uitschakelen. En het is ook zo dat iemand die allergisch is al bij de kleinste hoeveelheid huisstofmijt last heeft van zijn allergie.

Je bed overtrekken met een speciale mijtondoorlaatbare hoes helpt, omdat de uitwerpselen van de huisstofmijt uit je matras en kussen niet meer in je neus kunnen komen. Ook het wekelijks wassen op 60° helpt.

Ook is het zo dat er aan zee minder pollen zijn, omdat de zeewind die daar dikwijls wegblaast. In de hoge bergen heb je dan weer geen huisstofmijt.

Als je een allergie voor dieren hebt, zit er niets anders op dan het dier waar je allergisch voor bent weg te doen. Alleen in de garage of de keuken houden heeft ook geen zin, omdat de minste aanraking of nabijheid je al last gaat geven.

Als je allergisch bent voor de huisstofmijt kun je ook het best je huis goed luchten.

Ook moet je sigarettenrook zo veel mogelijk vermijden. Sigarettenrook is heel schadelijk voor je lichaam en verzwakt je longen.

Nog enkele tips voor huisstofmijtallergie voor jou en je ouders:

- Vervang tapijt en mat door gladde vloerbedekking, zoals parket en linoleum.
- Gebruik geen gestoffeerde meubels.
- Gebruik goed wasbare gordijnen.
- Voorkom vochtophoping door een goede ventilatie en een gelijkmatige verwarming van het huis. Verwarm je slaapkamer niet hoger dan 18 graden.
- Ga op vakantie in het hooggebergte. Daar komen geen mijten voor.
- Zorg dat het beddengoed regelmatig gewassen wordt op 60 graden. Verschoon de lakens en kussensloop wekelijks.
- Gebruik een mijtondoorlaatbare hoes over matras, kussen en dekbed.
- Gebruik zo veel mogelijk een dweil of vochtige doek om het stof af te nemen.
- Laat het bed een hele dag open liggen, zodat het kan luchten.
- Kleed je aan en uit in de badkamer.
- Geen boeken, geen speelgoed én slechts 1 wasbare knuffel op de slaapkamer.

Nog enkele tips voor pollenallergie
voor jou en je ouders:

- Houd bij droog weer de ramen en deuren zo veel mogelijk gesloten.
- Houd rekening met de hooikoortsberichten.
- Vermijd rokerige ruimten.
- Neem na het buiten spelen en voor het slapengaan een douche en was ook je haar om alle pollen weg te spoelen.

Soms is het moeilijk om een grens te trekken van welke hulpmiddelen je nu wel of niet toepast. Een algemene richtlijn hierbij is dat je de hulpmiddelen gerust mag gebruiken als het enige zin heeft, ze niet te duur zijn en als ze geen té grote impact hebben op je leven.

MOPJE

Twee katten lopen in de woestijn.
Zegt de ene tegen de andere:
'Wat een grote kattenbak, hè?'

Wat allergische rinitis niet betekent

Wat allergische rinitis zeker niet betekent is dat je altijd binnen moet blijven om de pollen te mijden. **Nee! Integendeel!** Je moet absoluut buiten in het gras kunnen rondlopen, allergie of geen allergie. Als je een allergie hebt, moet je een normaal leven kunnen leiden, natuurlijk met het nemen van de nodige medicatie.

Thuis en op school

Als je allergische rinitis hebt, is dit zeker niet altijd even gemakkelijk. Doordat je neus voortdurend verstopt zit, kan het zijn dat je slecht slaapt, minder presteert op school, je eten minder smaakt en het ook moeilijker is om te eten met een verstopte neus. Ook de voortdurende neusloop kan een impact hebben op je prestaties.

Heb je een graspollenallergie en heb je proeven of toetsen of moet je blokken? Dan is dat niet zo leuk, want juist dan heb je veel last van je graspollen-allergie. Overleg met je arts om op tijd de juiste medicatie te starten, zodat je er minder last van hebt.

Enkele tips voor op school

- Een wekelijks goed schoongemaakt klaslokaal
- Een goede ventilatie
- Een gelijkmatige centrale verwarming
- Een gladde, goed afwasbare vloerbekleding, wanden en kasten
- Gebruik van stofvrij krijt en een natte spons
- Geen planten en dieren in de klas
- Spreek met je leraar over wat je kunt doen

Wat zeggen kinderen over hun allergische rinitis?

'Ik heb allergische rinitis en ben allergisch voor pollen, maar de dokter zegt dat ik buiten mag spelen. Goed hè! Maar als papa het gras maait, blijf ik wel even uit de buurt.'

'Ik ben allergisch voor katten. Dat vind ik niet zo fijn, want dat betekent dat ik geen katten mag hebben thuis. Ik heb wel enkele leuke tropische vissen waar ik gelukkig niet allergisch voor ben.'

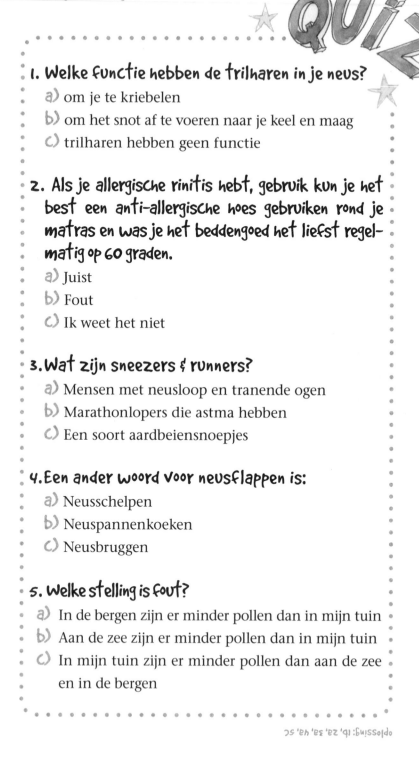

1. Welke functie hebben de trilharen in je neus?

a) om je te kriebelen

b) om het snot af te voeren naar je keel en maag

c) trilharen hebben geen functie

2. Als je allergische rinitis hebt, gebruik kun je het best een anti-allergische hoes gebruiken rond je matras en was je het beddengoed het liefst regelmatig op 60 graden.

a) Juist

b) Fout

c) Ik weet het niet

3. Wat zijn sneezers & runners?

a) Mensen met neusloop en tranende ogen

b) Marathonlopers die astma hebben

c) Een soort aardbeiensnoepjes

4. Een ander woord voor neusflappen is:

a) Neusschelpen

b) Neuspannenkoeken

c) Neusbruggen

5. Welke stelling is fout?

a) In de bergen zijn er minder pollen dan in mijn tuin

b) Aan de zee zijn er minder pollen dan in mijn tuin

c) In mijn tuin zijn er minder pollen dan aan de zee en in de bergen

Astma

Allergische rinitis en astma

Om te beginnen willen we toch even aangeven dat er een overlapping bestaat tussen allergische rinitis en astma. Ongeveer 80 procent van de mensen die astma hebben, heeft ook een allergische rinitis. Omgekeerd ligt het anders. Slechts 40 procent van de mensen met allergische rinitis heeft ook astma.

Als je allergische rinitis hebt, heb je ook drie keer zoveel kans om astma te krijgen.

Bij allergische rinitis gaat het om een ontsteking van de bovenste luchtwegen (vooral het neusslijmvlies) en bij astma om een ontsteking van de onderste luchtwegen (de longen).

Wat is astma?

Voor we zeggen wat astma is, eerst wat meer over de werking van je longen.

Hoe werken de longen?

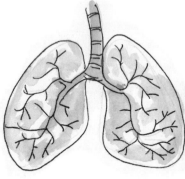

In je borstkas zitten je longen. Daarmee adem je. Dat gaat vanzelf, je hoeft er niet bij na te denken. Lucht gaat je longen in en uit. In de lucht die je inademt zit zuurstof. De zuurstof heb je nodig om te kunnen leven.
De lucht komt binnen door je neus en mond en gaat door je luchtpijp (een grote buis) en kleinere buisjes naar je longen. Alle buizen samen noemen we de luchtwegen.

> Weetje: Mensen ademen ongeveer twaalf tot vijftien keer per minuut. Per keer komt er ongeveer een halve liter lucht naar binnen.

In je longen zitten **longblaasjes**. Deze zorgen ervoor dat er zuurstof in je bloed komt. Die zuurstof gebruikt je lichaam om voedsel te verbranden en om te zetten in energie. Behalve energie komt er bij deze verbranding ook koolzuur vrij. Koolzuur komt bij het uitademen weer naar buiten.

(bron: www.astmafonds.nl)

Astma is

Astma is een **chronische aandoening** van de onderste luchtwegen (longen). Deze aandoening wordt veroorzaakt door een ontsteking van de luchtwegen. Die ontsteking van je longen geeft aanleiding tot klachten van hoesten en kortademigheid.

> **weetje:** chronisch wil zeggen dat het jaren duurt. En dat je het dus heel lang hebt.

Zeker als deze klachten ook 's nachts optreden, moet aan astma gedacht worden.

Patiënten met astma vertonen overgevoelige luchtwegen. De luchtwegen gaan op allerlei prikkels reageren door te vernauwen. Het gevolg is **kortademigheid**.

> **weetje:** overgevoeligheid van de luchtwegen wordt ook bronchiale hyperactiviteit genoemd.

Niet-allergische prikkels

De prikkels waarop de luchtwegen kunnen reageren, zijn inspanning, sigarettenrook, mistig weer, schommelingen van temperatuur, sterke geuren, enzovoort.

opgelet! Astmapatiënten reageren wel op deze prikkels, maar dat betekent niet dat ze er allergisch voor zijn.

Allergische prikkels

De ontsteking van de luchtwegen bij astma is vaak het gevolg van een allergie. Dit kan bijvoorbeeld een allergie zijn voor de huisstofmijt, pollen (van grassen of bomen) of dieren (onder andere katten en honden). Maar hoe komt het eigenlijk dat je het benauwd krijgt als je astma hebt? Wel, als je astma hebt, worden de kleine buisjes in je longen een beetje dichtgetrokken door de spiertjes die eromheen liggen. En er komt veel slijm in de buisjes. Er kan dan te weinig lucht door- heen. Daardoor krijg je het benauwd. Die buisjes doen dat om stofjes buiten te houden, zoals stuifmeel of poepjes van de huisstofmijt. (bron: www.astmafonds.nl)

Astma vroeger en nu

Van 1981 tot 2003 vond er in Finland onderzoek plaats naar astma. Er werd vastgesteld dat astma de laatste 50 jaar toeneemt. Dit heeft te maken met de veranderde leefomstandigheden. Daarover kun je alles lezen in hoofdstuk 1 onder de titel 'Allergie vroeger en nu'.

Maar terwijl astma vroeger dodelijk was, is dat nu slechts heel uitzonderlijk bij een heel zware astma- aanval. Het aantal dagen ziekenhuisopname voor astmapatiënten is ook veel lager. Dit komt omdat astmapatiënten de laatste jaren beter geholpen kun- nen worden door dokters en goede medicatie. Maar het is dus wel altijd belangrijk dat een zware astma- patiënt goed gevolgd wordt door de huisarts of longarts en dat de medicatie trouw ingenomen wordt.

Samengevat: Er zijn nu meer mensen met astma dan vroeger, maar astmapatiënten kunnen, met een goede behandeling, bijna allemaal een nor- maal leven leiden.

Beroepsastma

Er bestaat ook zoiets als beroepsastma, bijvoorbeeld bij bakkers. Dat is dan het gevolg van een allergie voor meel. Eerst ontwikkelen die bakkers dan allergische rinitis, waarna ze later astma krijgen. Als je beroepsastma hebt, moet je jammer genoeg meestal van beroep veranderen.

Hoe kun je merken dat je astma hebt?

Astma wordt gekenmerkt door **hoestbuien**, voornamelijk 's nachts. Vaak heb je als astmapatiënt geen klachten totdat je in contact komt met iets waar je allergisch voor bent (bijvoorbeeld katten).

De meeste kinderen met astma hebben ook een allergie. Als je een allergie hebt, loop je namelijk een groter risico om astma te krijgen. Bijvoorbeeld als je als kind atopisch eczeem hebt **(zie hoofdstuk 4)**, bestaat de kans dat je later astma krijgt.

Een allergie kan zich dus uiten in eczeem, allergische rinitis of astma.
Vanaf de leeftijd van 5 à 6 jaar kan worden nagegaan of je astma hebt of niet. Om te weten of je astma hebt, kunnen allergietesten gedaan worden of een longfunctieonderzoek.

De klachten van een astmapatiënt zijn:

- **Hoesten**: droge hoest of hoest met slijmen
- **Piepende ademhaling**
- **Kortademigheid**, vooral bij inspanning

Bij wie komt astma voor?

In België heeft ongeveer 15 procent van de kinderen en 8 procent van de volwassenen astma.

Bij de meeste patiënten is de astma gelukkig goed onder controle. Dat is te danken aan de nodige hygiënische maatregelen (vermijden van blootstelling aan sigarettenrook en aan allergenen zoals huisstofmijt) en aan medicatie.

Rond de puberteit zien we vaak dat de astma-klachten afnemen. Vooral bij jongens en patiënten met mild tot matige astmaklachten.

Meisjes kunnen vaak op oudere leeftijd nog astma ontwikkelen, met dan minder kans op uitgroei van astma rond de puberteit.

Samengevat

- **Jonger dan 8 jaar:** meer jongens dan meisjes met astma
- **Vanaf 12 jaar:** meer meisjes dan jongens met astma
- **Volwassenen:** meer vrouwen dan mannen met astma

Erfelijkheid

In bepaalde families komt meer astma voor dan in andere. Er zijn onlangs ook genen ontdekt die het risico op astma verhogen. Erfelijkheid speelt dus een rol bij astma. Dus als één van je ouders of beide ouders astma hebben, is de kans groter dat je ook astma krijgt.

Roken

We willen je er ook even voor waarschuwen dat **passief roken** (dus als je in de buurt bent van iemand die rookt) heel gevaarlijk is om meer astmaklachten te krijgen. Dit wil zeggen dat, als een vrouw zwanger is en rookt of een klein kindje heeft, het kindje een verhoogd risico heeft om astma te krijgen. Natuurlijk is het dan ook zo dat je als kind dubbel zoveel kans hebt om astma te krijgen als je moeder en vader roken. Dus verkondig de boodschap aan iedereen: rook niet!

Bij **actief roken** (dus als je zelf rookt... maar we vermoeden dat je daarvoor nog veel te jong bent) is het verband tussen roken en astma nog niet aangetoond. Maar natuurlijk kun je van zelf roken wel andere longziekten krijgen, zoals COPD, longkanker en vaatziekten.

Rookt je mama of papa? Laat hen dan snel het stukje hierboven lezen!

Wat astma niet betekent

Wat astma zeker niet betekent is dat je altijd braafjes binnen moet zitten en niet mag bewegen. **Nee! Integendeel!** Je moet absoluut aan sport gaan doen. Dat is zeker aan te raden. Er zijn heel wat topsporters met astma! **(zie hoofdstuk 6)** Als je astma hebt, moet je een **normaal leven** kunnen leiden, natuurlijk met het nemen van de nodige **medicatie**.

Laat dit stukje maar aan je ouders lezen en vraag hun om je niet te veel te beschermen. Als kind moet je zo veel mogelijk spelen en sporten. Natuurlijk is het wel belangrijk dat je goed gevolgd wordt door je huisarts, kinderarts en eventueel je kinderlongarts. Ouders zijn vaak overbezorgd, en dat is niet goed, maar wel begrijpelijk.

Hulp zoeken

Als je met je ouders naar de **kinderlongarts** gaat omdat men vermoedt dat je astma hebt, zal de kinderlongarts aan jou en je ouders allerlei vragen stellen. Aan de hand van de antwoorden zal zijn vermoeden dat je astma hebt al toe- of afnemen. Daarna zal de kinderlongarts een longfunctietest doen.

Longfunctietest

Om na te gaan of je astma hebt, wordt een longfunctietest gedaan. Deze test wordt ook wel de **blaastest** genoemd. Je moet heel diep in- en uitademen. Je krijgt een mondstuk in je mond en een klemmetje op je neus. Dat klemmetje op de neus is omdat je tijdens het onderzoek alleen mag ademen door je mond.
Het onderzoek duurt slechts een halfuurtje en doet

helemaal geen pijn!

Als alles normaal is, kan de longarts eventueel toch nog aantonen dat je astma hebt door de histamine-test.

De histaminetest

Bij de histaminetest moet je ook weer diep en hard in- en uitademen in een mondstuk. Maar nu moet je tussendoor een **stof inademen** die histamine heet. Deze stof prikkelt je luchtwegen, waardoor het kan zijn dat je gaat hoesten of kortademig wordt. Maar het is ook mogelijk dat er helemaal niets gebeurt. Als het onderzoek gedaan is, krijg je een medicijn waardoor je luchtwegen weer verwijden.

Dit onderzoek duurt een uur en een kwartier en doet ook helemaal geen pijn!

De inspanningstest

Ook is het mogelijk dat je de inspanningstest moet doen. De kinderlongarts zal bij deze test vragen om op een lopende band te **rennen** of 6 minuten buiten te lopen met

goede sportschoenen en zelfs eventueel in sportkleding.

Voor en na de inspanning moet je opnieuw een longfunctietest doen.

Dit onderzoek duurt ongeveer drie kwartier en doet natuurlijk ook geen pijn. Behalve als je een blaar op je voeten hebt... ja, want dan kan lopen pijn doen ☺.

Medicatie

Als astma bij je wordt vastgesteld, zal de kinderlongarts bepalen welke medicatie je nodig hebt. Waarschijnlijk zul je die gedurende verschillende jaren moeten nemen. Astma is dus wel met de juiste medicatie onder controle te krijgen. De medicatie wordt vaak via de luchtwegen toegediend door middel van puffers. Een puffer is een inhalatieapparaatje.

Puffers

Er zijn twee soorten puffers:

■ **De puffer met medicatie die de luchtwegen meteen openzet en dus direct werkt:**
Deze puffer moet je alleen gebruiken in nood of bij meer hoesten. Dus bij een **astma-aanval**. Als je slechts een milde vorm van astma hebt, moet je alleen deze puffer gebruiken.

De puffer met medicatie die ook de ontsteking aanpakt:

Deze puffer moet je **elke dag** gebruiken, ook als je geen problemen hebt. De medicatie in deze puffer bevat cortisonen (cortisonen zijn een soort anti-onstekingsmiddelen).

In tegenstelling tot cortisonenpillen geven cortisonenpuffers geen bijwerkingen. Maar het is wel heel belangrijk dat je na het gebruik van de puffer goed je mond spoelt en je tanden poetst. Want als je dat niet doet, kunnen er wel plaatselijke bijwerkingen zijn, zoals een prikkende keel en een schimmelinfectie in de mond. Een puffer met cortisonen moet je dus gebruiken als je vaak astmaklachten hebt.

Er bestaan heel wat soorten puffers, afhankelijk van de leeftijd en de ernst van de astma.

Puffen doe je zo!

Hoe je moet puffen hangt af van het soort puffer. Er zijn:
- poederinhalatoren
- verstuivers met een inhalatiekamer

Poederinhalatoren:

Maak de poederinhalator gebruiksklaar. Dat is bij elke inhalator verschillend. Je dokter kan je vertellen hoe dit moet.

1. Houd de poederinhalator horizontaal en adem uit.
2. Plaats het mondstuk tussen je tanden en sluit je lippen om het mondstuk.
3. Adem krachtig en diep door je mond in.
4. Neem de inhalator uit je mond, houd je adem vijf tellen vast... en adem uit.
5. Moet je meer keren inhaleren? Herhaal dit dan.

Verstuivers met een inhalatiekamer:

1. Schud de verstuiver goed en neem daarna het beschermkapje af.
2. Plaats de verstuiver op de inhalatiekamer.
3. Druk de verstuiver in. Zo breng je het medicijn in de inhalatiekamer.
4. Adem uit.
5. Plaats het mondstuk van de inhalatiekamer tussen je tanden en sluit je lippen om het mondstuk.
6. Adem rustig 5 keer in en uit. Je moet wel binnen 20 seconden klaar zijn met inhaleren. Daarna slaat het medicijn neer in de inhalatiekamer.
7. Moet je meer puffers inhaleren? Herhaal dit dan.

(bron: www.astmafonds.nl)

Tip! Neem je puffer mee naar de dokter en inhaleer daar. Dan kan de dokter zeggen of je het goed doet.

Tips

Zie 'tips' in hoofdstuk 2 'Allergische rinitis'.

op school en thuis

Aangezien je 's nachts dikwijls moet hoesten als je astma hebt, kun je er soms lang van wakker liggen. Daardoor kan het zijn dat je de volgende dag heel moe bent. Het kan ook invloed hebben op je broers, zussen of ouders omdat zij misschien ook wel wakker liggen van je gehoest.

Wat zeggen kinderen over hun astma?

'Ik heb astma en moet elke dag mijn puffer gebruiken. Maar dat houdt me niet tegen om te sporten. Ik wil net zo'n goeie zwemmer worden als Fred Deburghraeve of Pieter van den Hoogenband.'

'Puffen is oké omdat je er minder benauwd van wordt. Maar ik vind het niet leuk dat ik het elke dag moet doen. Ik schaam me niet om te puffen als er andere kinderen bijstaan. Die vinden dat wel apart.'

'Ik had op school altijd meer last van astma dan thuis omdat het er zo stoffig was. Maar sinds dit jaar maakt mijn mama 1 keer per week gratis ons klaslokaal schoon. Tja, ik heb een toffe mama hè!'

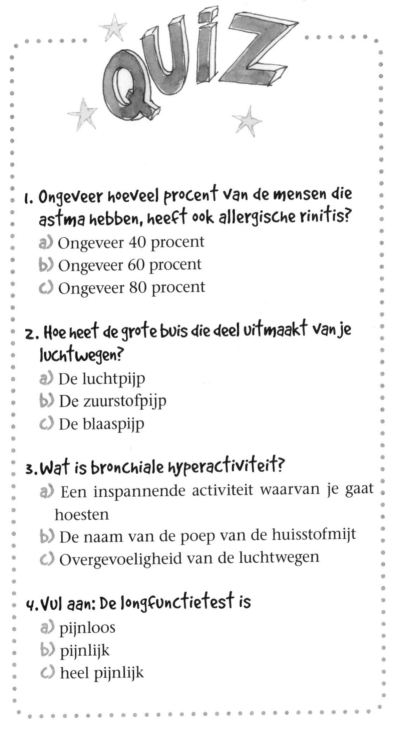

QUIZ

1. **Ongeveer hoeveel procent van de mensen die astma hebben, heeft ook allergische rinitis?**

   a) Ongeveer 40 procent

   b) Ongeveer 60 procent

   c) Ongeveer 80 procent

2. **Hoe heet de grote buis die deel uitmaakt van je luchtwegen?**

   a) De luchtpijp

   b) De zuurstofpijp

   c) De blaaspijp

3. **Wat is bronchiale hyperactiviteit?**

   a) Een inspannende activiteit waarvan je gaat hoesten

   b) De naam van de poep van de huisstofmijt

   c) Overgevoeligheid van de luchtwegen

4. **Vul aan: De longfunctietest is**

   a) pijnloos

   b) pijnlijk

   c) heel pijnlijk

5. **Wat is een andere naam voor een inhalatieapparaatje**
   a) Een puffer
   b) Een pluffer
   c) Een verstuffer

Een slang kijkt beteuterd naar zijn vader. 'Papa, zijn onze beten giftig?' 'Tuurlijk, mijn zoon, wij zijn gifslangen.' 'Oei, papa, wat moet ik doen? Ik heb net op mijn tong gebeten!'

Piet staat zout te strooien op de markt. 'Wat ben je aan het doen?' vraagt Marthe. 'Ik jaag de tijgers weg.' 'Hier zijn toch helemaal geen tijgers!' zegt Marthe. 'Zie je wel hoe goed het werkt!'

HOOFDSTUK 3

Eczeem

Wat is eczeem?

Eczeem is een **jeukende huidaandoening** als gevolg van een ontstekingsreactie van de huid. De verschijnselen van eczeem zijn roodheid, zwelling en warm aanvoelen van de huid. Doordat eczeem altijd in meer of mindere mate jeukt, ga je eraan **krabben**. Mede door het wrijven en krabben wordt eczeem in stand gehouden.

Weetje: Als je eczeem hebt, krijg je heel sterke jeuk. Dit is heel vervelend. Aanhoudende jeuk kan zelfs erger zijn dan pijn. Je gaat ook voortdurend krabben als je jeuk hebt, waardoor je huid open kan gaan.

Soorten eczeem

Er zijn verschillende soorten eczeem. Atopisch eczeem en allergisch eczeem zijn twee vormen die vaak voorkomen. In dit boekje gaan we vooral dieper in op atopisch eczeem, maar toch eerst even uitleggen wat allergisch eczeem is.

■ **Allergisch eczeem** is een contactallergie. Dat wil zeggen dat je eczeem krijgt als gevolg van contact met een bepaalde stof.
Als je allergisch eczeem hebt, heb je dus geen last meer van het eczeem als je de bepaalde stof waarvoor je allergisch bent vermijdt.

> **Weetje:** Enkele stoffen die allergisch eczeem kunnen veroorzaken als je er allergisch voor bent, zijn nikkel (in bijvoorbeeld gesp of oorbellen), parfum en bewaarmiddelen in douchezeep.

■ **Atopisch eczeem** ontstaat door een samenspel van verschillende factoren, zowel erfelijke als omgevingsfactoren. Het gaat dus om een aangeboren overgevoeligheid voor een bepaald allergeen. Bij atopisch eczeem kun je geen bepaalde stof vermijden. En dat kun je dus bij allergisch eczeem wel.

> Weetje: Atopisch eczeem wordt ook wel eens constitutioneel eczeem genoemd. Andere benamingen die je wel eens tegenkomt, zijn atopische dermatitis en dauwworm.

Bij wie komt atopisch eczeem voor?

Eczeem ontstaat **meestal op jonge leeftijd**, namelijk tijdens de eerste zes levensmaanden. Maar het kan ook op latere leeftijd ontstaan. Bij zuigelingen komt eczeem vaak in het gezicht voor. Op latere leeftijd komt eczeem vaker voor op polsen, in elleboog-plooien en in knieholten.

Het verloop van eczeem kan heel grillig zijn. In sommige perioden kun je veel last hebben van het eczeem en op andere momenten dan weer niet. Het kan ook kortdurend of langdurig zijn. Er kunnen ook andere allergische ziekteverschijnselen ontstaan, zoals astma en hooikoorts.

Hoe komt het dat je atopisch eczeem hebt?

Erfelijkheid speelt een grote rol bij atopisch eczeem. Als één van je ouders lijdt aan atopisch eczeem heb je als kind 50 procent kans om de aandoening te ontwikkelen. Als allebei je ouders atopisch eczeem hebben, is de kans 80 procent dat je als kind ook atopisch eczeem krijgt.

Hoe ernstig het eczeem is, kan door heel veel verschillende factoren bepaald worden. Het is dan vaak ook moeilijk te achterhalen waardoor eczeem ontstaat of eczeemklachten toenemen.

Factoren die eczeem kunnen **uitlokken** of kunnen **beïnvloeden** zijn:

- voedselallergie
- allergie voor huisdieren
- allergie voor huisstofmijt
- allergie voor inademingsallergenen (bijvoorbeeld pollen)
- blootstelling aan een rokerige omgeving
- weersveranderingen
- spanning of emoties
- contactallergenen (na aanraking met een bepaalde stof)

Hoe kun je merken dat je eczeem hebt?

Jeuk is een typische en vervelende klacht bij eczeem. Jeuk geeft aanleiding tot krabben en wrijven, maar dit verergert het eczeem en houdt het in stand.
We onderscheiden twee fases bij eczeem:

- **Acute fase:** roodheid, zwelling, vochtblaasjes, vochtafscheiding (natten).
  Een acuut eczeem kan enkele dagen tot weken aanhouden.

- **Chronische fase:** de huid wordt droog en schilferig. De roodheid neemt af en de schilfering neemt toe. De huid wordt dikker en in de droge huid kunnen kloven ontstaan.

Een langer bestaande eczeemhuid is meestal heel droog en raakt daardoor gemakkelijk geïrriteerd door schurende kleding. Een kapotte huid kan ook sneller geïnfecteerd raken door bacteriën.

De plaats waar de ontstekingsreactie zich voordoet en de symptomen van het atopisch eczeem zijn afhankelijk van je leeftijd en van het stadium waarin je eczeem verkeert (acute of chronische fase). Als kind heb je meestal last van eczeem op één of meer van de volgende plaatsen: gezicht, elleboog-plooien, knieholtes, polsen en enkels.

Andere verschijnselen als je eczeem hebt:

- **Een droge huid die jeukt**, vooral bij zweten en het dragen van wol.
- De **huid rond je ogen is donker** van kleur en de huidplooien onder je ooglid zijn gezwollen en verdubbeld.
- Ter hoogte van je wangen en je bovenarmen kan je huid **ruw en schuurpapierachtig** zijn.
- Je wangen zijn **rood**.
  Je huidskleur rond je neus en je mond zijn **opvallend bleek.**

Wat atopisch eczeem niet betekent

Als je eczeem hebt, moet dit soms behandeld worden met zalf waarin **cortisonen** zitten. Het is een fabeltje dat je als gevolg van die cortisonenzalf op latere leeftijd astma kunt ontwikkelen.

Nog een hardnekkige fabel is dat eczeem besmettelijk is. Dit is zeker niet het geval. Je kunt dus **NIET** besmet raken met eczeem door iemand anders met eczeem aan te raken of in hetzelfde zwembad te zwemmen.

Soms wordt beweerd dat aan de hand van de vorm van het eczeem of de plaats waar het voorkomt bepaald kan worden of het eczeem met een allergie te maken heeft. **Dat klopt niet.** Het is altijd het best om te zoeken naar mogelijke oorzaken die het eczeem beïnvloeden.

Een kindje kan niet te jong zijn voor allergietesten. Ze kunnen ook bij zuigelingen worden uitgevoerd. Wel kunnen de tests het best worden uitgevoerd door een allergoloog, dermatoloog of ervaren kinderarts.

Eczeem is vaak niet te genezen. Maar dikwijls zijn er oorzaken te vinden waardoor men het eczeem **beter onder controle** kan krijgen.

Het is een fabeltje dat eczeem helemaal nooit overgaat. Het is wel waar dat het niet te genezen is, maar de kans bestaat wel dat het vanzelf overgaat. Maar opgelet, want het vermogen om allergisch te reageren blijft wel bestaan. Het kan dus zijn (maar het hoeft niet!) dat je op latere leeftijd andere allergische klachten krijgt, bijvoorbeeld astma of hooikoorts.

Hulp zoeken

De pleistertest

Als je eczeem hebt, kan met de pleistertest worden nagegaan of je een **contactallergisch eczeem** hebt. Bij een pleistertest plakken ze op maandag plakkers op je rug met verschillende stoffen. Op woensdag worden de plakkers eraf gehaald en op vrijdag kunnen de dokters al zien of het eczeem zich ontwikkelt of niet.

De pleistertest is dus een beetje vergelijkbaar met de priktest die wordt uitgevoerd als men allergische rinitis of een voedselallergie vermoedt. Een pleistertest wordt wel gedaan over vijf dagen, terwijl men bij een priktest al na een kwartier weet of je allergisch bent voor de geteste stoffen.

De dermatoloog

Hoewel atopisch eczeem tot nu toe niet te genezen is, kan de **dermatoloog** (= de huidarts) je behandelen. De behandeling is erop gericht om het eczeem rustig te houden, of sneller tot rust te laten komen in de acute fase.

De behandeling van de dermatoloog bij eczeem gebeurt op drie manieren:

- **De anti-eczeembehandeling**: Met zalfjes en eventueel met medicatie om jeuk en ontsteking te remmen.
- **De huidverzorging**.
- **Beperken van allergene en niet-allergene prikkels:** hiervoor moet je je leefgewoonten wijzigen, zodat je minder in aanraking komt met de allergenen en stoffen die er mede voor zorgen dat je eczeem hebt.

Het smeerschooltje

In een smeerschooltje geeft men inlichtingen hoe je moet smeren en met het eczeem moet omgaan. Men geeft er dus tips hoe je moet omgaan met de jeuk als gevolg van eczeem. Zo wordt onder andere verteld dat je niet mag krabben, het liefst zachte kleding moet aantrekken, beter lichtjes op de huid kunt trommelen dan te krabben en dat je droge lucht beter kunt vermijden.

Naar een smeerschooltje kunnen ouders met hun baby's of kleine kinderen gaan.

Thuis en op school

Als je eczeem hebt, vraagt dit heel wat aanpassing van jou en van je ouders. Je huid moet extra verzorgd worden en je moet die voortdurend met zalf insmeren, je omgeving moet zo veel mogelijk stofvrij zijn. Het kan zijn dat je moet diëten en dan is er ook nog eens die jeuk die je soms zelfs uit je slaap houdt.

Het is ook niet altijd prettig dat bij het zwemmen en sporten de andere kinderen de uitslag zien. Bovendien zorgt **zwemmen** in het zwembad er ook nog eens voor dat je huid uitdroogt.

Bovendien bestaat vreemd genoeg nog steeds het hardnekkige misverstand dat eczeem besmettelijk is. Maar zoals je weet, is eczeem absoluut **NIET besmettelijk**!

Tips voor jezelf

Als je eczeem hebt, moet je heel wat doen om je gevoelige huid te **verzorgen**. Ook is het belangrijk om irriterende factoren te voorkomen. Hierna volgen enkele nuttige tips:

Tips om je gevoelige huid te verzorgen

1. Douchen of baden mag, zelfs elke dag.
2. Ga niet te veel in een schuimbad en gebruik speciale badolie.
3. Gebruik huidverzorgingsproducten die vochtinbrengend, hypoallergeen en parfumvrij zijn. Dus alleen water is niet voldoende!
4. Gebruik een kleine hoeveelheid product en wees waakzaam bij nieuwe producten. Laat je niet misleiden door wat de reclame je vertelt.
5. Houd het contact met het water zo kort mogelijk (maximaal 5 minuten).
6. De ideale temperatuur van het water is 35 graden. (Voor baby's is dit te koud.)
7. Na het douchen, baden en wassen het liefst je huid droog deppen en daarna de huid masseren met een vochtinbrengende crème.

Tips om irriterende factoren te voorkomen

1. **Geen wollen** kleren dragen.
2. Zweten zo veel mogelijk voorkomen, door bijvoorbeeld **katoenen** kleding te dragen in plaats van nylon.
3. Je ouders mogen **geen wasverzachter** gebruiken en moeten matig zijn met het gebruik van waspoeder.
4. Je slaapt het best in een **koele kamer** onder een licht dekbed. Eventueel kun je ook katoenen handschoenen dragen om jezelf niet te krabben in je slaap.
5. **Vermijd** liever **hoge temperaturen** omdat ze jeuk kunnen veroorzaken. In de zon liggen is niet aan te raden, maar je mag er wel in wandelen en fietsen als je je goed beschermt en alleen als er genoeg wind is die je afkoelt.
6. **Vermijd het contact met dieren**, want zij dragen de allergenen in hun pels of vacht.
7. Na het zwemmen moet je altijd goed **douchen** en een zalf aanbrengen. Dit moet je doen omdat de chloor in het zwembadwater irriterend kan zijn voor je huid.
8. Neem **geen huisdieren**.

Andere tips

1. Je kunt contact met de huisstofmijt het best vermijden. Dus overdag voldoende je slaapkamer en beddengoed **ventileren**. Natuurlijk leggen je ouders ook liever geen tapijtbekleding in de slaap- en woonkamer.

2. **Niet krabben**. Maar dat is gemakkelijker gezegd dan gedaan. Want iedereen, ja echt iedereen, met atopisch eczeem krabt zich wel eens. Maar toch kun je het beter niet doen. Uit voorzorg kun je dus het best je nagels kort knippen.

Als je krabt zit je in een cirkel waar je moeilijk uit kunt komen: **krabben – huidinfectie – ontsteking – jeuk – krabben**.

KRABBEN

Laten we even dieper ingaan op de tip 'niet krab-ben'. Wat moet je dan wél doen als je jeuk hebt?

Als het jeukt en je mag niet krabben

Zoals we hiervoor al gezegd hebben, krabt iedereen die atopisch eczeem heeft. Het jeuken is soms zo erg dat je toch gaat krabben, ook al ben je je er niet altijd bewust van dat je je krabt. Maar zoals we ook al eerder zeiden, is krabben niet goed omdat het uiteindelijk alleen maar leidt tot meer jeuk.

MAAR wat moet je dan wel doen? Hier volgen enkele tips:

1. Trommel, druk of klop zachtjes op je huid
2. Wrijven met de handrug
3. Wrijven met de vingertoppen
4. Blaas op je huid
5. Zorg dat je steeds vochtinbrengende crème bij de hand hebt
6. Zorg voor een spuitbus met thermaal water en spuit het op de jeukende huid. (Thermaal water is een in de natuur gevonden water waarvan de temperatuur 30 graden of hoger is.)
7. Gebruik ijsblokjes
8. Je kunt ook wrijven op de jeukerige plek met een voorwerp. Bijvoorbeeld een massage-

rollertje of een lepel. **MAAR oPGELET!** Gebruik dit voorwerp niet rechtstreeks op de huid!

9. Krab aan iets anders: een kussen, een beer, de rug van je ma of pa,...

10. Houd je handen bezig: knijp bijvoorbeeld in een balletje

11. Doe oefeningen om te ontspannen: buik-ademhaling, yoga,...

12. Doe aan sport, beweeg

13. Luister naar zachte muziek

14. .... (vul hier zelf een tip in. Wat doe jij als je jeuk hebt door eczeem?)

HINDER KRABBEN

Wat zeggen kinderen over hun eczeem?

'Ik haat het dat de andere kinderen op school kunnen zien dat ik eczeem heb als we ons omkleden voor en na het turnen en zwemmen.'

'Door de aanhoudende jeuk kan ik me soms minder goed concentreren tijdens de les. Ook kan ik door de jeuk 's avonds soms moeilijk in slaap komen.'

'Als ik zenuwachtig ben, heb ik meer neiging om te krabben. Dan ga ik sporten.'

'Ik heb eczeem en heb in de klas met mijn vriend een spreekbeurt gehouden over eczeem. Nu weten alle kinderen in mijn klas heel goed wat ik heb. Gelukkig hebben ze mij er nog nooit mee gepest.'

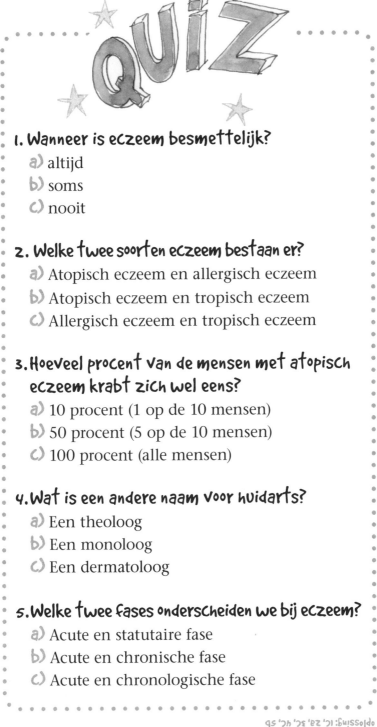

QUIZ

1. Wanneer is eczeem besmettelijk?

a) altijd

b) soms

c) nooit

2. Welke twee soorten eczeem bestaan er?

a) Atopisch eczeem en allergisch eczeem

b) Atopisch eczeem en tropisch eczeem

c) Allergisch eczeem en tropisch eczeem

3. Hoeveel procent van de mensen met atopisch eczeem krabt zich wel eens?

a) 10 procent (1 op de 10 mensen)

b) 50 procent (5 op de 10 mensen)

c) 100 procent (alle mensen)

4. Wat is een andere naam voor huidarts?

a) Een theoloog

b) Een monoloog

c) Een dermatoloog

5. Welke twee fases onderscheiden we bij eczeem?

a) Acute en statutaire fase

b) Acute en chronische fase

c) Acute en chronologische fase

MORJE

'Ik heb vannacht gedroomd
dat ik op een heel groot schip voer en dat ik
plotseling in het water viel', vertelt Bertje aan
zijn moeder. 'Moet ik me nu nog wassen?'

Jefke zat op school en zei voortdurend: 'Broem
broem!' Toen zei de juf: 'Jefke, nog één keer en
je gaat in de hoek!' 'Broem, broem!' zei Jefke
weer. 'Jefke, in de hoek!' riep de juf uit. 'Ik kan
niet, juf', zei Jefke. 'Mijn benzine is op!'

HOOFDSTUK 5

Voedselallergieën
Wat is een voedselallergie?

Sommige mensen worden ziek na het eten van bepaalde dingen. Wil dit altijd zeggen dat ze dan allergisch zijn voor dat voedsel? Nee!
We spreken pas van een allergie voor voedsel als je lichamelijke afweersysteem **overmatig reageert** op bepaalde allergenen in een voedingsmiddel. Het gaat dus alleen om een voedselallergie als je lichaam tegen bepaalde stoffen in het voedsel reageert.

Even herhalen

De stof die ons lichaam binnendringt en waartegen je lichaam onnodig kan reageren noemen we het **allergeen**.
Voedselallergenen dringen ons lichaam binnen via het spijsverteringskanaal. Andere allergenen kunnen binnendringen via de luchtwegen en de huid. Enkele bekende allergenen zijn **eiwitten**, **pollen** en de **huisstofmijt**.

Als je een voedselallergie hebt, maken kleine hoeveelheden van een bepaald soort voedsel je al ziek. De **reactie** kan ook **heel verschillend van aard** zijn. Het kan gaan om een reactie van de huid, de luchtwegen, mond, keel, maag, darmen, enzovoort. De klachten kunnen optreden binnen enkele minuten of pas één of twee dagen nadat het allergeen ingenomen is. Soms kunnen sporen (= héél kleine hoeveelheden, zoals een klein kruimeltje) van het allergeen al ziek maken.

Zo zijn er bijvoorbeeld heel wat mensen die niet tegen melk kunnen, maar er toch niet allergisch voor zijn. Als je echt allergisch bent voor melk zul je ook allergisch zijn voor alle producten waarin melk is verwerkt, want je lichaam gaat dan al tegen de kleinste hoeveelheid melk reageren.

Iemand die wel tegen melkproducten kan, maar niet tegen melk, is dus **NIET allergisch**. We zeggen dan niet dat die persoon allergisch is voor melk, maar wel dat hij of zij lactose-intolerantie heeft. (Lactose-intolerantie betekent 'niet tegen melksuiker kunnen'.) Als je lactose-intolerantie hebt, kun je de melksuiker of lactose moeilijk verteren. Daardoor krijg je darmklachten.

Om na te gaan of je echt allergisch bent voor een bepaald voedingsmiddel kun je de volgende stelregel volgen:

> 'Je bent allergisch voor een bepaald product als je ALTIJD last hebt als je ermee in aanraking komt en als je NOOIT last hebt als je er niet mee in aanraking komt.'

Soorten voedselallergieën

We maken een onderscheid tussen twee grote groepen voedselallergieën:
- **Primaire voedselallergieën**
- **Secundaire voedselallergieën** (= kruisallergieën)

Primaire voedselallergieën

Als je een primaire voedselallergie hebt, reageer je op wat je eet. Je reageert dus **rechtstreeks** op het voedingsmiddel.
Primaire voedselallergieën komen vaker voor bij jonge kinderen dan bij oudere kinderen of volwassenen. In veel gevallen gaat het dan om een allergie tegen koemelk, kippenei of soja.

Deze primaire voedselallergieën verdwijnen meestal als de kinderen 3 tot 5 jaar oud zijn, al is dat niet altijd het geval.

Een voedselallergie kan de oorzaak zijn van eczeem en van braken en diarree (vaak bij jonge baby's), maar kan ook ademhalingsproblemen geven, of buikkrampen. Héél soms kan een voedselallergie levensgevaarlijk zijn (zie verder: anafylaxie).

Als de ziekteverschijnselen snel optreden na het eten van het voedingsmiddel waartegen je allergisch bent, zul je zelf snel merken waardoor je ziek wordt. Het is moeilijker om dit verband te merken als je pas na één of twee dagen reageert.

Sommige mensen zijn allergisch voor geneesmiddelen of voor een bestanddeel van een geneesmiddel (bijvoorbeeld: antibiotica). We spreken dan van een geneesmiddelenallergie. Maar het is dan voldoende om dat geneesmiddel niet te nemen om geen last meer te hebben van die allergie.

Secundaire voedselallergieën (kruisallergieën)

Als je een secundaire voedselallergie hebt, ben je allergisch voor een **bepaalde structuur** die in bijvoorbeeld pollen voorkomt en ook in het voedsel. Dan ben je dus niet alleen allergisch voor pollen, maar ook voor voedsel waarin dezelfde structuur voorkomt als in pollen.

Een voorbeeldje: als je allergisch bent voor selderie of appel, dan ben je waarschijnlijk ook allergisch voor berk, omdat daar dezelfde structuur in zit. In feite ben je allergisch voor berk, maar omdat in selderie en appels gelijk**SOORTIGE** structuren zitten **ALS** in berk reageer je ook op selderie of appels. Bij een kruisallergie ben je dus allergisch voor verschillende dingen die dezelfde structuur hebben.

> **Weetje:** als je een kruisallergie hebt, dan ga je niet overmatig reageren als de appel of selderie opgewarmd is. Appelmoes eten is dan geen probleem.

Bij een secundaire voedselallergie heb je meestal ook **andere klachten** dan bij een primaire voedselallergie. Je hebt bijvoorbeeld een allergische rinitis (hooikoorts) in het voorjaar **(zie hoofdstuk 2)**. Als je een secundaire voedselallergie hebt, voel je dan prikkelingen in de mond en heb je gezwollen lippen als je een rauwe appel eet.

Enkele voorbeelden van kruisallergieën:

- **Berk**: appel, hazelnoot, wortel, aardappel, selderie, kers, peer, walnoot.
- **Bijvoet**: selderie, wortel, venkel, peterselie, koriander, mosterd.
- **Gras**: aardappel, tomaat, tarwe, pinda.
- **Koemelk**: geitenmelk, schapenvlees, rundvlees.
- **Pinda**: sojabonen, groene bonen, groene erwten, linzen, lupine.
- **Latex**: banaan, avocado, kiwi, kastanje, papaja, vijgen.
- **Varkensvlees**: kat (allergisch voor de kat, niet allergisch voor het opeten van de kat natuurlijk ☺)

Bij wie komt een voedselallergie voor?

Een voedselallergie komt vaker voor bij zuigelingen en jonge kinderen dan bij volwassenen.

2 à 3 procent van de kinderen heeft een voedsel-allergie.

Zoals we al zeiden, zal de voedselallergie meestal verdwijnen rond de leeftijd van 3 tot 5 jaar als het om een primaire voedselallergie gaat bij een baby.

De meest voorkomende allergische reacties op voedsel zijn op koemelk, kippenei, vis, schaal- en schelpdieren, noten, pinda, soja, appel en sesamzaad.

Hoe komt het dat je een voedselallergie hebt?

Om allergische klachten te ontwikkelen moet je eerst in contact komen met bepaalde eiwitten uit de voeding (= allergeen). Je lichaam gaat afweerstoffen aanmaken voor dat bepaalde allergeen. Hierdoor word je gevoelig voor een bepaald eiwit. De reactie van je afweersysteem tegen deze niet-schadelijke stoffen is echter wel schadelijk voor je lichaam. De grote boosdoener is histamine, want die zorgt voor

bepaalde verschijnselen en klachten bij allergie.
Een voedselallergie kan op elk moment opduiken. Je
kunt zelfs al een voedselallergie hebben vanaf je eerste levensmaanden.

Weetje: De aanleg om allergisch te reageren,
noemen we atopie.

Hoe kun je merken dat je een voedselallergie hebt?

Zolang een baby borstvoeding krijgt, is er meestal
geen probleem. Heel soms zal een baby toch reageren op moedermelk als de moeder zelf
voedingsmiddelen eet waar een bepaald allergeen in
zit. Zodra het kind groter wordt en het andere zaken
begint te eten en drinken, bijvoorbeeld papjes en
koemelk, kan een voedselallergie opduiken. Soms
kan dat zelfs al bij de eerste hapjes fruitpap zijn.
Iedereen reageert nogal verschillend op een voedselallergie. Iedereen heeft zijn eigen, specifieke
klachten. Maar het is wel zo dat een bepaald voedingsmiddel steeds dezelfde klachten geeft.
Verschillende voedingsmiddelen kunnen dan weer
verschillende klachten geven. Ook de ernst van de
klachten verschilt van persoon tot persoon. Dit kan
gaan van mild tot zeer ernstig.

Een voedselallergie kan zich dus op verschillende manieren uiten:

- **Huid**: uitslag, irritatie, netelroos, eczeem, jeuk, oedeem.

> **Weetje:** oedeem is een ophoping van vocht in bijvoorbeeld oogleden, mond of lippen.

- **Maag en darmen:** prikkelend gevoel in de mond, krampen, braken, diarree, verstopping, misselijkheid, gezwollen mond en lippen.
- **Hart- en vaatstelsel:** anafylaxie (maar komt heel zelden voor – voor meer info over anafylaxie: lees het einde van dit hoofdstuk).
- **Andere klachten:** groeiachterstand, gedragsklachten, heel veel huilen (huilbaby).

Wat voedselallergieën niet betekenen

Zoals we al zeiden, heeft 2 à 3 procent van de kinderen een voedselallergie. Het blijkt dat toch heel wat meer mensen denken dat ze een voedselallergie hebben, maar dat is dan eigenlijk geen allergie. Het kan zijn dat iemand tegen een bepaald product gewoon niet goed kan, maar dat betekent daarom nog niet dat hij of zij er allergisch voor is. Denk bijvoorbeeld maar aan iemand die **lactose-intolerantie** heeft. Hij of zij kan dan niet tegen melk, maar is er niet allergisch voor.

Even herhalen

We spreken pas van een allergie voor voedsel als je **lichamelijke afweersysteem** negatief reageert op een bepaald voedingsmiddel. Het gaat dus alleen om een voedselallergie als je lichaam tegen bepaalde stoffen in het voedsel reageert.

Hulp zoeken

Diagnose

Als je denkt dat je een voedselallergie hebt, kun je terecht bij de **huisdokter**. Die zal je allerlei vragen stellen en eventueel bloed afnemen. Als het gaat om een allergie of als hij twijfelt zal hij je doorsturen naar een dokter die meer afweet van allergieën. Die zal nog meer vragen stellen en jou misschien vragen om eerst een dagboek te maken waarin je alles opschrijft wat je eet en drinkt en ook of je je ziek voelt of niet. Met die informatie zullen allergietesten uitgevoerd worden. Over deze bloedtesten en priktesten kun je alles lezen in hoofdstuk 1. Het kan natuurlijk zijn dat de bloedtest en de priktest al genoeg duidelijkheid bieden over je allergie.

De open voedselprovocatietest

Het gebeurt echter ook dat een bloedtest of een priktest een aanwijzing geeft voor voedselallergie zonder dat je last krijgt als je het voedingsmiddel inneemt (je bent dan gevoelig, maar niet allergisch). Om zeker te weten of je echt allergisch bent, moet je dan een uitlokkingstest of een provocatietest doen.

Een open voedselprovocatietest betekent dat je een bepaald voedingsmiddel krijgt waarin het allergeen zit waarvoor je allergisch bent. Je krijgt dan steeds meer van dat product om na te gaan of je er allergisch op reageert.

Deze test kan thuis gebeuren of in het ziekenhuis. De test is alleen geschikt om thuis te doen als je dokter inschat dat er bijna geen kans is op een ernstige reactie. Deze test gebeurt dus onder begeleiding van je arts en je diëtist.

Als je dokter vermoedt dat er wel een ernstige reactie kan optreden als hij de voedselprovocatietest doet, zal hij ofwel beslissen om hem uit te voeren in het ziekenhuis of beslissen om de test helemaal niet te doen.

Bij een voedselprovocatietest wordt steeds maar één voedingsmiddel tegelijk getest, anders weet de dokter niet welke reactie optreedt op welk voedselallergeen.

Bij een dergelijke test wordt het voedingsmiddel meestal eerst tegen de binnenkant van de lippen gehouden om een eventuele reactie af te wachten. Daarna kun je het voedsel echt innemen.

Bij een voedselprovocatietest thuis zul je vooraf van de diëtist of de arts een schema krijgen waarin staat in welke hoeveelheden en in welke vorm je het verdachte voedingsmiddel moet innemen. Je zult starten met een heel kleine hoeveelheid per dag en die in de volgende dagen verhogen, zolang er geen klachten zijn. De arts legt ook uit wat je moet doen als je een reactie vertoont. Je zult enkele zaken zorgvuldig noteren. Hiervoor gebruik je een **voedseldagboek**. Wat schrijf je hierin?

- Het **tijdstip** dat de portie wordt gegeven.
- Hoe **groot** de portie is.
- Het **tijdstip** waarop een eventuele reactie optreedt.
- **Wat** de allergische reactie precies is.
- **Hoelang** de reactie duurt.
- **Welke maatregelen** je neemt om de reactie te stoppen.
- **Wanneer** deze maatregelen genomen zijn.

Als er een reactie optreedt, moet je **stoppen** met de provocatietest. En indien nodig kan dan ook de dokter worden ingeschakeld.

Het dagboek van de provocatietest neem je mee bij het eerstvolgende controlebezoek aan de dokter en/of diëtist.

Weetje: Soms zal een uitlokkingstest 'dubbelblind' gebeuren (jij en je dokter weten tijdens de test niet of je het allergeen krijgt of niet. Dat kun je pas na de test te weten komen).

Behandeling

Als je een milde voedselallergie hebt, kun je gewoon het **eten mijden** waarvoor je allergisch bent. Dan is het eigenlijk geen groot probleem. Al blijft er toch altijd een kleine kans op contact met het voedselallergeen waarvoor je allergisch bent. Soms kunnen daarom medicijnen nodig zijn.

Als het om een secundaire voedselallergie (= kruisallergie) gaat en je dus ook voor andere allergenen dan alleen maar voedselallergenen allergisch bent, kan het ook zijn dat je **behandeld** moet worden voor de andere allergie. (Bijvoorbeeld: neusspray bij hooikoorts door een pollenallergie, zalf bij eczeem en een puffer bij astma.)

Als je voor verschillende soorten voedsel allergisch bent of je bent allergisch voor een product dat in heel wat voedsel verwerkt is, bij-

voorbeeld melk of soja, dan moet er met een diëtist overlegd worden wat je al dan niet mag eten en wordt er een **lijst** opgemaakt. Ook krijg je een lijst met de voedingsproducten die je dan in de plaats kunt eten van de producten waarvoor je allergisch bent.

Bij voedselallergie is het volgen van een **dieet** dus bijna altijd **nodig**. Dit dieet moet soms aangepast worden omdat in de loop van de tijd bepaalde allergieën minder kunnen worden of omdat er ook nieuwe allergieën kunnen bijkomen.

Je moet daarom begeleid worden door een ervaren arts. Zoals we hiervoor al zeiden, wordt ook een diëtist bijna altijd ingeschakeld. Die kan dan in de gaten houden of de totale voeding nog wel volwaardig is. Een diëtist weet welke voedingsmiddelen goede vervangers zijn. De diëtist kan ook advies geven bij de keuze van een artikelenlijst die wordt gebruikt om boodschappen te doen.

Op school

Op school kom je regelmatig met voedsel in aanraking. Het is belangrijk dat je ook op school dieetfouten vermijdt.

Het is het best dat je ouders samen met de leerkracht bespreken welke voedselallergie je precies hebt. Uiteraard moeten ze je voedselallergie ook niet te veel op de voorgrond zetten. Dat is niet leuk voor jou omdat jij je dan snel een '**buitenbeentje**' voelt. Zeg het dan ook op een vriendelijke manier tegen je ouders als je vindt dat ze er te veel aandacht aan besteden. Maar begrijp wel dat ze gewoon bezorgd zijn om jou. Dat is heel normaal.

Als je een voedselallergie hebt, kun je meestal wel

aan alle activiteiten deelnemen op school. Maar als het iets te maken heeft met eten, tja, dan zul je je toch aan je dieet moeten houden. Zelfs één keer een uitzondering maken mag niet. Zo zul je bijvoorbeeld ook niet kunnen helpen met het bakken van een cake als je een allergie hebt voor eieren.

Als je kans op anafylaxie hebt **(wat anafylaxie is, kun je aan het einde van dit hoofdstuk lezen)**, zullen de school en je ouders natuurlijk nog strengere maatregelen moeten treffen. Dan zullen je ouders de afspraken op papier moeten zetten. Jouw gegevens kunnen dan het best, samen met je foto en de gemaakte afspraken, de medicatie en noodmedicatie, op een vaste, centrale, zichtbare plek worden gelegd. Een plek dus die alle medewerkers kennen en die veilig is voor alle kinderen. Het fotootje van jou zorgt ervoor dat ook een invalkracht weet dat de medicatie voor jou bestemd is.

Tips voor jezelf

Als je een voedselallergie hebt, is het ook belangrijk dat je eten goed apart wordt gehouden van ander eten dat allergenen bevat waarvoor je allergisch bent. Want als er iets van dat voedsel in jouw voedsel terechtkomt, ga je natuurlijk ook allergisch reageren. Was je handen dus goed voordat je gaat eten, gebruik een mes om alleen jouw boterham te smeren.

Een voedingsallergie **kan heel vervelend zijn**. Zo moet je op verjaardagsfeestjes opletten wat je eet. Je moet ervoor zorgen dat je niets eet waarvoor je allergisch bent.

Op school moet je opletten dat, als een leraar trakteert op een snoepje of een gebakje, er niets in zit waarvoor je allergisch bent. Dit geldt zeker als je allergisch bent voor kippenei of voor melk, want dan moet je koekjes en gebak eten waarin geen ei of melk is verwerkt. Je kunt het best zelf een doos met koekjes meebrengen die je wel mag eten. Zo kun je ook iets snoepen maar dan uit je eigen doos.

Als je op school blijft eten, neem dan het liefst zelf je eten mee, want het kan altijd zijn dat er in het eten op school een product verwerkt is waarvoor je allergisch bent. Je mag ook niet proeven van wat iemand anders heeft meegebracht. Er kunnen voor jou allergene stoffen in zitten en een heel kleine hoeveelheid kan al problemen geven. Dus niet denken 'Och, het is maar een heel klein beetje, dat zal geen kwaad kunnen'.

Als je een voedselallergie hebt, is het belangrijk om de ingrediënten op de verpakking te lezen. De **lijst van ingrediënten** geeft aan welke bestanddelen in het voedingsmiddel verwerkt zijn.

Anafylaxie

'**Anafylawatte? Wat is dat voor een beest?**' horen we je al vragen. Anafylaxie (ik ga het woord niet meer herhalen, want het is veel te moeilijk!) is een **plotselinge allergische reactie** waarbij je bloeddruk daalt. Je gaat je opeens niet goed voelen en je wordt kortademig. Dit kan heel plotseling gaan.

Je kunt een dergelijke reactie hebben op voedsel, geneesmiddelen, een bijen- of wespensteek of na het in contact komen met latex. De voedingsmiddelen waarbij anafylaxie (oeps... sorry... nu herhaal ik het woord echt niet meer!) het meest voorkomt, zijn pinda's, noten, zaden, vis, schaal- en schelpdieren, eieren en bepaalde exotische vruchten zoals kiwi. Heel jonge kinderen kunnen ook slecht reageren op koemelk.

Je loopt enkel kans om anafylactisch (sorry... dit was echt de allerlaatste keer!) te reageren als je het vermogen hebt om allergisch op iets te reageren en als je eerder al eens een ernstige allergische reactie hebt gehad.

Als je bijvoorbeeld allergisch bent voor pinda's, dan mag je absoluut niets eten waarin pinda's verwerkt zijn, want anders kun je een allergische reactie krijgen waaraan je zelfs kan sterven. Maar wees gerust: anadinges (goed hè, ik heb het woord niet herhaald!) komt heel weinig voor, zeker bij kinderen.

EpiPen

Als je kans loopt om anafylactisch (sorry) te reageren, moet je de stof waarvoor je allergisch bent vermijden. Maar je kunt nooit zeker weten dat je er toch niet eens mee in aanraking komt. Daarom moet je voorturend een **EpiPen** bij je hebben.

Een EpiPen ziet eruit als een balpen. Maar deze pen is niet gevuld met inkt, maar met adrenaline. Als je bent blootgesteld aan het product waarvoor je allergisch bent en je hebt er een heel ernstige reactie op, moet je (of iemand uit je omgeving kan dit doen) onmiddellijk de pen tegen je been of arm zetten en erop duwen. Er komt dan een naald uit die door je kleren heen in je huid prikt. De adrenaline uit de pen spuit dan in je lichaam.

Nadat je de EpiPen hebt gebruikt, moet je wel meteen naar het ziekenhuis zodat de dokters je verder kunnen behandelen. Maar met de EpiPen heb je dus wel al de eerste en belangrijkste zorg zelf toegediend.

Wat zeggen kinderen over hun voedselallergie?

'Iedereen in de klas mocht macaronifiguren plakken, maar ik niet, want ik ben allergisch voor tarwe. En tja, in macaroni zit tarwe. Maar ik heb dan gelukkig wel een mooi werkje met crêpepapier mogen knutselen. Dat was zeker zo leuk!'

'Diëten vind ik niet fijn. Ik zou graag alles eten, net zoals alle andere kinderen.'

'Op verjaardagsfeestjes zegt mama altijd tegen de mama van de jarige welke dingen ik niet mag eten. Ik vind dat niet leuk.'

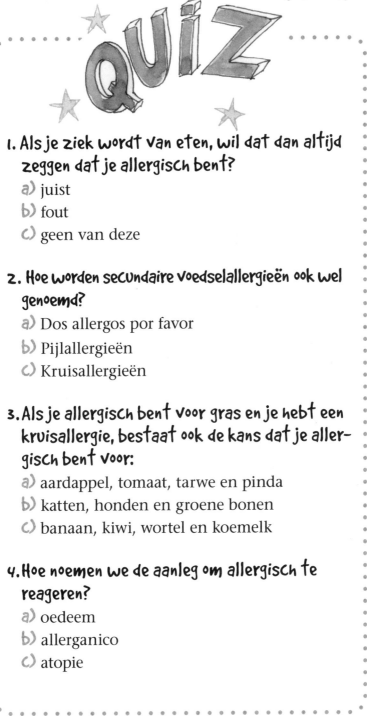

1. Als je ziek wordt van eten, wil dat dan altijd zeggen dat je allergisch bent?

a) juist

b) fout

c) geen van deze

2. Hoe worden secundaire voedselallergieën ook wel genoemd?

a) Dos allergos por favor

b) Pijlallergieën

c) Kruisallergieën

3. Als je allergisch bent voor gras en je hebt een kruisallergie, bestaat ook de kans dat je allergisch bent voor:

a) aardappel, tomaat, tarwe en pinda

b) katten, honden en groene bonen

c) banaan, kiwi, wortel en koemelk

4. Hoe noemen we de aanleg om allergisch te reageren?

a) oedeem

b) allerganico

c) atopie

5. Hoe heet de test waarbij je voedsel toegediend krijgt waarin het voedselallergeen zit waarvoor je allergisch bent?

a) De open voedselkwantumtest

b) De US open

c) De open voedselprovocatietest

oplossing: 1b, 2c, 3a, 4c, 5c

Marie gaat met haar ouders naar een restaurant. Marie bekijkt de menukaart. Bij een bepaald menu staat: bereid volgens recept van het huis. 'Wat betekent dat eigenlijk?' vraagt Marie aan haar pa. 'Dat lijkt me vrij logisch', antwoordt haar pa. 'Dat betekent dat het bereid is net zoals thuis: te veel zout en aangebrand.'

Bekende mensen met een allergie of astma

Wist je dat er heel wat bekende mensen zijn die al van jongs af een allergie of astma hebben? Hierna vind je enkele beroemdheden die een allergie of astma hebben.

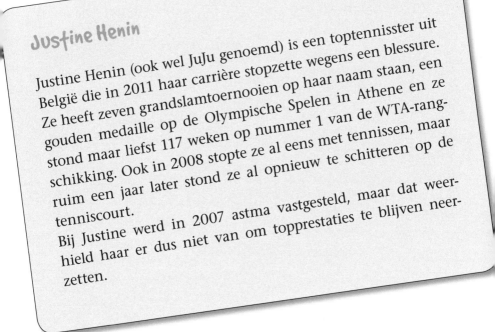

Justine Henin

Justine Henin (ook wel JuJu genoemd) is een toptennisster uit België die in 2011 haar carrière stopzette wegens een blessure. Ze heeft zeven grandslamtoernooien op haar naam staan, een gouden medaille op de Olympische Spelen in Athene en ze stond maar liefst 117 weken op nummer 1 van de WTA-rangschikking. Ook in 2008 stopte ze al eens met tennissen, maar ruim een jaar later stond ze al opnieuw te schitteren op de tenniscourt.

Bij Justine werd in 2007 astma vastgesteld, maar dat weerhield haar er dus niet van om topprestaties te blijven neerzetten.

Frederik (Fredje) Deburghraeve

Fred Deburghraeve is een voormalig Belgisch zwemmer. In 1994 won hij het Europees Kampioenschap Zwemmen en in 1998 het Wereldkampioenschap. Op de Olympische Zomerspelen 1996 brak hij het wereldrecord op de 100 meter schoolslag en won in de finale Olympisch goud op hetzelfde nummer.

De Olympisch zwemkampioen had echter al astma vanaf zijn zesde jaar. En dat niet alleen. Hij was ook allergisch voor allergenen zoals pollen en de huisstofmijt. Het was een dokter die Fred adviseerde om te gaan sporten. En met succes! Kijk maar naar zijn resultaten! Ook nu heeft Fred nog altijd astma en hooikoorts. Die twee geven elkaar bij hem de hand. Een paar keer niezen kan al een astma-aanval inzetten. Toch blijft Fred heel sportief bezig. Eind 2010 beklom hij met enkele astma-patiënten de Aconcagua, met zevenduizend meter de hoogste berg van Zuid-Amerika. Wegens hoogteziekte moesten alle klimmers jammer genoeg voortijdig de beklimming staken en haalden ze de top niet. Toch was het een enorm huzarenstuk dat veel respect verdient!

Marleen Veldhuis

Marleen Veldhuis is een internationaal topzwemster uit Nederland. Ze werd Olympisch kampioene, meervoudig wereldkampioene en meervoudig Nederlands kampioene op verschillende zwemdisciplines.

Bij Marleen werd astma vastgesteld toen ze een jaar of 19 was. Ze moet haar hele leven twee keer per dag een puffer gebruiken. Maar ze wilde koste wat het kost de astma overwinnen en zover mogelijk komen in het zwemmen. En of haar dat gelukt is!

Jolanda Keizer

Jolanda Keizer doet aan atletiek en is een Nederlandse meerkampster. In 2008 maakte ze deel uit van de Nederlandse Olympische ploeg op de Olympische Spelen in Peking. Haar belangrijkste succes behaalde ze in 2009, toen ze zilver won op de vijfkamp tijdens de Europese indoorkampioenschappen in Turijn. Jolanda heeft al van jongs af astma, maar ook voor haar hoeft astma helemaal geen beperking te zijn in haar leven. Integendeel, het heeft haar sterker gemaakt. En dat wil ze ook graag duidelijk maken door haar prestaties.

Drew Barrymore

Drew Barrymore is een bekende Amerikaanse actrice. Ze werd bekend als kindsterretje in de film 'E.T.' (1982). Als volwassen actrice speelde ze onder meer mee in 'Scream' (1996), 'Lucky You' (2007), 'Beverly Hills Chihuahua' (2008) en 'Whip it!' (2009). Drew Barrymore is allergisch voor knoflook, koffie, parfum en bijensteken.

Serena Williams

Serena Williams is een bekende Amerikaanse tennisster. Zij is de jongere zus van Venus Williams, ook al een bekende tennisster. Serena heeft al alle grandslamtoernooien gewonnen. Ze heeft ook de meeste Australian Open titels op haar naam. Wat je haar nooit zult zien eten zijn pinda's, want daar is ze allergisch voor.

Paula Radcliffe

Paula Radcliffe is een Engelse atlete die gespecialiseerd is in lange afstanden. Zij is de huidige wereldrecordhoudster op de marathon en de 10 kilometer. Ook is ze Europees recordhoudster op de 25 en 30 kilometer. Haar prestaties op de marathon zijn sensationeel. Ze won acht van de tien wedstrijden en liep vier van de vijf snelste tijden op deze discipline.

Bij Paula werd astma ontdekt toen ze op veertienjarige leeftijd serieus begon te trainen. Elke ochtend voordat ze haar huis verlaat, gebruikt ze haar puffer. Voor haar sportieve inspanningen zorgt ze voor een goede warming-up. Paula is ambassadrice van het Engelse astmafonds en hielp met haar sportieve prestaties al heel wat geld in het laatje te krijgen ten behoeve van onderzoek.

Philip Cocu

Cocu is een voormalig Nederlandse topvoetballer die onder andere bij PSV speelde. Hij liet zich door astma niet uit het veld slaan. Hij kreeg astma toen hij al ver in de twintig was en bij FC Barcelona voetbalde. Sinsdien moet hij elke ochtend en avond een puffer gebruiken. Door die medicatie heeft hij nooit meer aan astma-aanval gehad op het veld, wat hij voordien wel al eens had gekregen. Cocu heeft ook een tip voor iedereen die astma heeft: 'Belangrijk is dat je in goed overleg met een dokter het medicijn gebruikt dat het beste werkt.'

Verhaal van een meisje

Hierna kun je het verhaal van Karen lezen. Ze is nu 20 jaar en kampt al haar hele leven met astma. Met haar getuigenis toont ze een andere kant van astma.

Ik ben nu 20 jaar, maar er werd bij mij astma vastgesteld toen ik 2 jaar oud was. Van die tijd herinner ik mij bijna niets meer, behalve enkele flitsen. Zo kan ik me nog voor de geest halen dat ik met ademhalingsmoeilijkheden op het bed van mijn ouders lag, met een masker op mijn gezicht.

Later is er mij verteld dat ik toen 4 jaar oud was. Ik lag toen op mijn bed wegens het gebruik van aerosol. Dit is een geneesmiddel dat wordt gebruikt bij benauwdheidsaanvallen ten gevolge van astma.

Astma is dus voor mij doodnormaal. **Het is een deel van mijn leven.** Ik ben ermee geboren en ik zal er nooit vanaf komen.

Maar helaas is dat deel van mijn leven voor de omgeving niet zo bekend. En dat brengt al vanaf de lagere school **grote problemen** met zich mee.

Elk kind op de **lagere school** wil vriendjes hebben. Om vriendjes te hebben moet je erbij horen. Ik was astmapatiënt, de anderen niet. Ik besefte dat het voor anderen moeilijker zou zijn om zich aan mij aan te passen dan omgekeerd. Dus besloot ik mij aan te passen aan de anderen. Maar dat had meestal niet het gewenste gevolg.

De hele klas weet meestal wel al dat je astma hebt. Gewoon het feit dat je eens niet mee mag doen bij de turnles roept al vragen op. Als de leerkracht ervan op de hoogte is, zal die meestal ook de uitleg aan de andere kinderen geven.

Het is voor jou als astmapatiënt het beste dat anderen op de hoogte zijn van je astma. Maar toch is het niet leuk om als kind een etiket opgeplakt te krijgen. Eigenlijk zou je het liefst gewoon in de massa verdwijnen.

Het is ook zo dat je als astmapatiëntje af te rekenen krijgt met negatieve kritiek. Zo zijn er nog steeds mensen die geloven dat astma geen echte ziekte is, maar dat de ziekte in je hoofd zit. Dat je alleen maar denkt dat je ziek bent. Maar dat is natuurlijk niet zo. Toch proberen sommigen er alles aan te doen om te bewijzen dat je je het enkel inbeeldt dat je astma hebt. Zo gaan ze bijvoorbeeld je jas bij een kat hangen, of ondanks

het verbod om te roken toch een sigaret op-
steken. Dit zijn slechts twee voorbeelden, maar ik
kan jammer genoeg nog een uurtje blijven door-
gaan. Het gevolg hiervan was dat ik astma-aan-
vallen begon te koppelen aan het onbegrip van
anderen. Ik ging me daardoor dan ook al bij
voorbaat tegen al deze negatieve kritiek proberen
te beschermen. De beste oplossing leek me te
doen alsof er niets aan de hand was. Ik had het
zo weinig mogelijk over mijn astma.

Hoewel je weet dat sommige dingen **niet goed**
voor je zijn, wil je toch **met alles meedoen**. Zo
kun je aan de anderen bewijzen dat je net als zij
volledig gezond bent. Een goed voorbeeld is een
verjaardagsfeestje bij een klasgenootje. Uit goede
gewoonte vraag je of ze thuis een kat heeft. Het
antwoord is 'ja'. Maar je bent allergisch voor
katten. Als het meisje vraagt of dat een probleem
is, zeg jij 'nee'. Thuis vraagt je mama nog eens of
je klasgenootje een kat heeft en jij zegt dan van
niet. Uiteindelijk mag je naar het feestje, en
daarna blijk je plotseling ziek te zijn.

Soms kan het ook omgekeerd in zijn werk gaan.
Het kan ook zijn dat de jarige verzwijgt dat ze
huisdieren heeft. Ze doet dit omdat ze zo veel
mogelijk vriendjes op bezoek wil, want dit betekent meer cadeautjes. Ze houdt er dan geen rekening mee dat jij daarna ziek bent. Ook al omdat
ze waarschijnlijk gewoon niet begrijpt wat astma

werkelijk inhoudt. Ze kan bijvoorbeeld denken dat het niet geeft omdat haar mama net heeft schoongemaakt en de kat buiten is.

Zo rond het **derde leerjaar** beginnen je klasgenootjes en vriendjes zich **vragen te stellen**. De omgang met anderen wordt vanaf dan ook steeds moeilijker. Je krijgt dan opmerkingen zoals '**Hé, die is weer een week ziek! Volgens mij wil ze gewoon niet naar school!**'

Ik heb zelfs al leerkrachten meegemaakt die mij niet geloofden en lustig met de klas mee gisten of ik wel ziek was. Ze beseften pas dat het serieus was toen ik in het ziekenhuis terechtkwam of naar het zeepreventorium in de Haan moest. Toen werd ik overspoeld door kaartjes. Opeens was het ook mogelijk om mijn lessen bij te houden. Maar het feit dat ik, als ik thuis zat, even ziek kon zijn als in het ziekenhuis, dat was voor hen moeilijk om te geloven.

Nog een ander probleem was mijn inspannings-astma. Op de lagere school had ik een leerkracht die rekening met mij hield. Van haar mocht ik stoppen als het te lastig werd. Ik hoefde ook niet zo veel te lopen als de rest. Maar daardoor werden sommige kinderen jaloers.

Doordat sommigen jaloers waren en doordat ik dikwijls ziek was, werd ik ook steeds meer uitgesloten. Ook doordat ik sommige dingen niet zo lang kon als anderen, bijvoorbeeld touwtjespringen, werd ik niet aanvaard.

Naar het **eind van de lagere school** had ik af en toe wel eens een goede vriendin. Maar het is heel moeilijk om met iemand een goede relatie op te bouwen als je heel vaak ziek bent.

Nu ik als leidster mee op astmakamp ga, kom ik tot de vaststelling dat veel kinderen daar dezelfde problemen meemaken als ik. Het grote gevaar voor ons is dat we meestal heel verlegen zijn en toch ontzettend veel doorzettingsvermogen hebben. Waarom kan dat gevaarlijk zijn? Wel, ik zal hieronder even een voorbeeldje geven.

Een groep vrienden wil estafette spelen, loop-koers met aflossing dus. Ze komen één persoon te kort. Ze smeken je om mee te doen, en uiteindelijk hap je toe. Deels wil je aan hen bewijzen dat je hetzelfde bent als de rest en dat je dit aankunt. Anderzijds ben je blij omdat ze willen dat je mee-doet. Je wilt je groep ook niet in de steek laten. Je loopt jouw deel, maar **doet meer dan je eigenlijk aankan.** Je weet dat je over je grens gaat, maar we-gens de redenen die ik zojuist genoemd heb, geef je dat niet toe. Je komt hijgend en piepend aan, je handen voelen slap en krachteloos, je hebt een barstende hoofdpijn. Je gaat zitten, want je voelt dat je anders gewoon door je benen zou zakken. En je hartslag blijft onwaarschijnlijk hoog. Je wilt niet aan de rest laten zien dat je last hebt, dus zet je een grote lach op je gezicht. Je zegt geen woord meer, want dat gaat bijna niet meer. Je pakt je puffer niet, want anders bewijs je aan de anderen dat er iets mis is. Gelukkig kun je het niet altijd verbergen en ziet je omgeving soms dat er iets aan de hand is.

Bij een **astma-aanval** komt mijn lichaam zo onder spanning te staan dat het hiervoor een uitweg zoekt. Hierdoor beginnen mijn ogen spontaan te tranen. Je voelt de stress een stuk afnemen, en voor je het weet staat de hele omgeving in rep en roer. Plotseling beseft iedereen dat er iets mis is. Je vraagt hun om je **puffer**, hij wordt voor je gehaald. Je vraagt om naar huis te bellen, je verzoek wordt meteen ingewilligd. Hoewel ik mijn astma vaak zou willen verbergen, ben ik blij dat dit gebeurt. Het is voor een stuk mijn enige redding.

Gelukkig heb ik nu vrienden die voor mij opkomen en mij op de gevaren wijzen vóór het te laat is. Ze zeggen dan 'Het is hier nogal stoffig, laten we naar buiten gaan' of 'Oei, er staat daar iemand te roken, we gaan wat gezondere lucht opsnuiven'. Dankzij hen heb ik geleerd om voor mijzelf op te komen. Nu durf ik af en toe zelfs iemand te vragen om zijn sigaret te doven.

De lagere school en het begin van de middelbare school is voor een astmapatiënt **een zeer moeilijke tijd**. Want wie luistert er nu naar een kind van die leeftijd als die zegt dat hij allergisch is voor tomaat en die niet mag eten? 'Maar kind, eet gewoon je eten op, er zit toch geen tomaat in cocktailsaus!'

Of wie luistert naar je als je vraagt aan iemand om zijn sigaret uit te doen omdat je last hebt van je ademhaling. 'Val mij toch niet zo lastig, ga met de andere kinderen spelen, de volwassenen zijn aan het praten' kun je dan soms als antwoord krijgen.

Soms krijg je medelijden, vaak slechte reacties. Maar wat je eigenlijk nodig hebt, is begrip en vertrouwen. Begrip, dat mensen zonder dat ze het ook maar moeten vragen hun sigaretten doven bij kinderen. **Begrip**, je bent nu even ziek, ik wacht tot je beter bent, je huiswerk wordt bijgehouden, en als je terug komt gaan we ons weer amuseren.

Maar het belangrijkste is **vertrouwen**. Een astmapatiënt zou overal iemand moeten hebben die hij of zij blindelings kan vertrouwen. Iemand bij wie ze in moeilijkheden terechtkunnen en er zeker van zijn dat die personen dit voor zich houden. Ze moeten er zeker van kunnen zijn dat deze persoon geen leugens over hen zal verspreiden. Want geloof mij, dat gebeurt. Een astmapatiënt heeft iemand nodig die voor hem opkomt. Want tijdens een astma-aanval kun je dit gewoon niet. Je kunt geen woord uitbrengen en wordt ontzettend gevoelig, op dat moment ben je eigenlijk hulpeloos.

Op **kamp** waren er dit jaar vier van de vijf leidsters die astma hadden en zelf nog mee op kamp
waren geweest, zelfs de hoofdleidster had astma.
In tegenstelling tot de jaren dat dit niet zo was,
voelde je dat je een veel betere band met de kinderen had. Maar de belangrijkste reden daarvoor
was niet het feit dat wij ook astma hadden. De
belangrijkste reden was het feit dat ze wisten dat
we hen begrepen en dat ze ons volledig konden
vertrouwen. Het was voor hen een hele gerust-
stelling dat ze wisten dat ze voor het kleinste pro-
bleempje bij ons terechtkonden. Ook het feit dat
wij wisten hoe te reageren bij een astma-aanval
en dat er geen probleem was om als het niet meer
ging even aan de kant te gaan zitten, was voor
hen een zoveelste zorg minder.
We hebben zo ook eens met de oudsten 's avonds
een groepsgesprek gehad. Ze mochten zelf voor-
stellen waar we het over gingen hebben. Toe-
vallig kwam 'het **zeepreventorium**' naar boven.
Drie kinderen in deze groep bleken er te zitten.
Toen bleek dat twee van de aanwezige leidsters
daar ook ervaringen mee hadden gehad, kwamen
plotseling al die opgekropte gevoelens naar
buiten. Het is verbazend hoe goed elk kind op
kamp elkaar kon aanvoelen, hoewel ze allemaal
uit verschillende situaties kwamen en elk andere
problemen had. Geen enkele astmapatiënt is im-
mers hetzelfde. Het werd een leerzaam gesprek

voor iedereen die erbij zat. Ook voor mij was het een **grote opluchting** om er eens over te kunnen **praten**. En ik hoop dat alle astmapatiëntjes die in het zeepreventorium zitten, of er gezeten hebben, ook ooit die mogelijkheid zullen krijgen.

Je mag ook niet bang zijn om je problemen aan je dokter uit te leggen. De **juiste diagnose** en de juiste hoeveelheid **medicatie** is niet negatief. Hoe langer je ermee wacht, hoe slechter de gevolgen. En denk eraan, al die jaren problemen kunnen vaak met een simpele puffer al voor een groot stuk vermeden worden. Medicatie is niet slecht. Een spuit cortisonen met de bijwerkingen erbij, of dagenlang afzien en totaal niets meer kunnen doen door het zuurstoftekort? Niet wetende wanneer je astma zal verbeteren. Mijn keuze is snel gemaakt.

Het doet ook goed om eens met iemand anders over je ziekte te kunnen praten. Er bestaan in dit land al verschillende **zelfhulpgroepen**. Vaak hebben ze ook activiteiten waar astmapatiënten samenkomen. Het lucht op om echt eens te kunnen voelen dat jij niet de enige met astma bent.

Dit was mijn verhaal, ik hoop dat je er iets aan hebt gehad.

Karen

HOOFDSTUK 9

Websites

Allergie algemeen

- **www.astma-en-allergiekoepel.be**
  (Astma- en Allergiekoepel)
- **www.polleninfo.org**
  (Engelstalig – polleninfo)
- **http://airallergy.wiv-isp.be**
  (Wetenschappelijk Instituut Volksgezondheid – afdeling Mycologie)
- **www.allergienet.be**
  (Allergienet België)
- **http://ishetallergie.nl**
  (Website over allergie)
- **www.lumc.nl/pollen**
  (Info over pollen)
- **http://allergie.statkabel.nl**
  (Startkabel allergie)
- **http://allergie.zlink.be**
- **www.uzgent.be**

Voedselallergie

- www.stichtingvoedselallergie.nl
(Stichting VoedselAllergie)

Anafylaxie

- www.anafylaxis.nl
(Nederlands Anafylaxis Netwerk)

Eczeem

- www.dermatologie.ugent.be
(info over begeleiding, cursus en smeerschooltje
- www.vmce.nl
(Vereniging voor Mensen met Constitutioneel Eczeem)

Astma

- www.astmafonds.nl
(Nederlands Astmafonds)
- www.astmakids.nl
(Site voor kinderen met astma)
- www.ginasthma.com
(Engels – Global Initiative For Asthma)

SLOTWOORD

Je bent aan het einde van het boekje! Hopelijk heb je er plezier aan beleefd en heb je er wat uit geleerd. Hierna vind je nog een **leuk kruiswoordraadsel** om in te vullen. De letters uit de gekleurde vakjes vormen samen een woord.

1. Waarvoor is Serena Williams allergisch?
2. Bij welke test worden verschillende pleisters met allergenen op je huid geplakt? De ....test.
3. Hoe worden mensen die het hele jaar door last hebben van een verstopte neus wel eens genoemd?
4. Eén van de klachten van een astmapatiënt.
5. Wat is de voornaam van de voormalige Belgische topzwemmer die astma heeft?
6. Waar zijn er minder pollen? Aan de zee en in de ...
7. Wat is de voornaam van de Nederlandse voetballer die ontdekte dat hij astma had toen hij bij Barcelona speelde?
8. Wat is de achternaam van de voormalige Belgische tennisster die ook wel JuJu genoemd wordt?

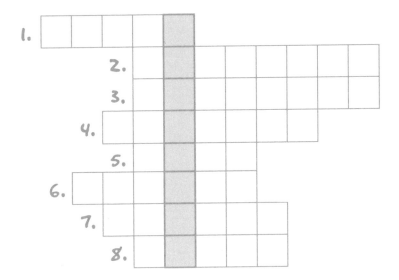

Het woord dat je gevonden hebt is . . . .

oplossingen:
1. pinda, 2. pleister, 3. blockers, 4. hoesten, 5. efred, 6. bergen, 7. philip, 8. henin
Het woord is: ALLERGIE

Boodschap voor ouders, leerkrachten en zorgverleners

Dit boekje is bedoeld om kinderen met een allergie en astma hun aandoening beter te helpen begrijpen. Kinderen met astma en een allergie krijgen vaak uitleg van dokters. Toch kunnen ze er soms behoefte aan hebben om rustig alles nog eens door te nemen, al dan niet samen met hun ouders. Dan kunnen ze dit boekje ter hand nemen.

Niet alleen kinderen zitten soms met vragen, ook u, als ouder, leerkracht of zorgverlener, zal zich af en toe afvragen hoe u kunt reageren op het gedrag van het kind of op vragen die het kind stelt. Dit boek kan daarvoor een hulpmiddel bieden.

Karen, die in dit boekje haar verhaal deed, richt zich hierbij ook nog even tot alle mensen die met astma te maken hebben.

'**Ouders**, *verwacht niet dat je kind zomaar alles aan jou komt vertellen. Kinderen begrijpen hoeveel leed en moeilijkheden hun ziekte ook voor jou meebrengt. En het laatste wat ze willen is dit nog erger maken.*'

'**Leerkrachten**, *besef dat een kind met astma niet zomaar een deel van de groep is. Er zullen uitzonderingen gemaakt moeten worden zodat het kind gelukkig kan zijn. Leg op een rustige en duidelijke manier aan de klas uit waarom de leerling af en toe afwezig zal zijn. Betrek ook het liefst de hele groep bij het bijhouden van de lessen. Dit kan zelfs een manier zijn om een groepsgeest te creëren. De leerling zal je waarschijnlijk nooit vergeten.'*

'**Mammies en pappies in het zeepreventorium**, *de kinderen die u onder uw hoede hebt, zijn zieke kinderen die vaak tegen hun wil uit hun gezellige huiselijke omgeving gehaald zijn. Weken zien zij vaak hun ouders, broertjes en zusjes niet. Naast een opvoedkundige rol hebben jullie ook de zware taak om voor hen een nieuwe thuis te creëren. Er is niets mis mee om met deze kinderen een vertrouwensrelatie op te bouwen. Als het kind werkelijk voelt dat het bij u terechtkan, zullen jullie samen door het zoeken naar oplossingen veel pijnlijke en sociale gevolgen kunnen opvangen, wat, geloof mij, alleen maar positief kan zijn. Wat zou u graag willen als u ziek was? En als u nu de hele tijd door ziek was, zou die wens veranderen? U moet deze kinderen niet hard maken, in deze maatschappij worden ze wel vanzelf hard. Er is maar één ding dat elk kind nodig heeft, gezond of niet, en dat is genegenheid.'*

'**Dokters**, *voor vele patiënten bent u jarenlang de enige vertrouwenspersoon geweest. Daarom vraag ik nu: wees niet bang om zo snel mogelijk de juiste diagnose "astma"* *te stellen. Hoe sneller je weet wat er aan de hand is, hoe sneller je ermee kunt leren leven en het aanvaarden. Onwetendheid is voor geen van beide partijen goed.'*

'Heb je geen astma? *Prijs jezelf gelukkig. Denk eraan dat er steeds meer astmapatiënten zijn. Overal waar je komt zit er wel iemand tussen, wees hoffelijk, het is niet plezierig om door de sigaret van iemand anders een week thuis te zitten. Beeld je eens in dat iemand een week lang het gevoel heeft dat hij aan het stikken is door jouw tabak. Wij leren ermee leven. Maar het is nog steeds geen pretje.'*

Hierna een overzicht van wat per hoofdstuk in het boek aan bod komt.

Inleiding

In de inleiding kunt u lezen hoe dit boekje kinderen met astma of een allergie kan helpen en hoe het boekje het best gebruikt kan worden.

Hoofdstuk 1: Wat is een allergie?

In het eerste hoofdstuk leest u wat een allergie is, welke soorten allergieën er zijn, bij wie ze voorkomen en hoe u kunt merken dat uw kind een allergie heeft. Ook staat er hoe u het best hulp kunt zoeken en wordt er informatie gegeven over de allergietest.

Hoofdstuk 2: Allergische rinitis

In dit hoofdstuk komt u heel wat te weten over allergische rinitis. In de volksmond wordt dit al snel, maar foutief, hooikoorts genoemd. Hooikoorts is slechts een klein onderdeel van allergische rinitis. Dit hoofdstuk bevat tal van tips voor kinderen met allergische rinitis.

Hoofdstuk 3: Astma

Het hoofdstuk begint met de verschillen en overeenkomsten tussen allergische rinitis en astma. Daarna probeert het astma te duiden. Wie heeft astma? Hoe beïnvloedt astma je leven? Wat is een puffer? Dit hoofdstuk geeft een antwoord op deze en vele andere vragen.

Hoofdstuk 4: Eczeem

Kinderen met eczeem hebben te kampen met heel specifieke problemen. In dit hoofdstuk kunt u lezen wie eczeem kan krijgen en hoe het behandeld kan worden. Ook het verschil tussen atopisch en allergisch eczeem wordt uitgelegd.

Hoofdstuk 5: Voedselallergieën

In dit hoofdstuk staat heel wat informatie over voedselallergieën. Welke voedselallergieën zijn er? Bij wie komen voedselallergieën voor? En welke misverstanden bestaan er over voedselallergieën? Op deze en vele andere vragen krijgt u een antwoord.

Hoofdstuk 6: Bekende mensen met een allergie of astma

Het is belangrijk dat een kind met een allergie of met astma begrijpt dat hij/zij niet alleen is, maar dat er heel wat mensen zijn – ook bekende mensen – die astma of een allergie hebben. In dit hoofdstuk staan enkele bekende mensen die een allergie of astma hebben en ook wat informatie over hun bezigheden.

Hoofdstuk 7: Verhaal van een meisje

In dit hoofdstuk vindt u het verhaal van Karen. Ze is nu 20 jaar en kampt al haar hele leven met astma. Met haar getuigenis toont ze een andere kant van astma.

Hoofdstuk 8: Websites

Wilt u op het internet op zoek gaan naar meer informatie over allergieën en astma, dan vindt u in dit hoofdstuk enkele interessante websites.

Kruiswoordraadsel

In dit leuke kruiswoordraadsel kan het kind zijn of haar kennis over de inhoud van het boekje testen. Zowel serieuze als ludieke vragen komen aan bod.

INDEX

Heb jij het ook moeilijk om op de juiste wijze bewegingen uit te voeren die in een bepaalde volgorde moeten gebeuren? Heb jij moeite om sommige handelingen vlot uit te voeren? Gaat springen, snel lopen, iets vastnemen, fietsen, zwemmen moeilijker dan bij andere kinderen? Is het zwaar voor jou om bepaalde handelingen aan te leren? Heb jij DCD en wil je graag weten hoe je hiermee om kan gaan? Dan is dit boekje zeker iets voor jou.

IN DE DCD SURVIVALGIDS ONTDEK JE:

- wat DCD is;
- hoe het komt dat je deze coördinatie-ontwikkelingsstoornis hebt;
- welke gevoelens en gedachten je kunt hebben als je DCD hebt;
- waar je hulp kan zoeken;
- hoe je thuis en op school met DCD kan omgaan;
- wat een lotgenootje vertelt;
- websites waar je informatie kunt vinden;
- spannende quizzen en grappige mopjes;
- ... nog veel meer.

Dit boek werd speciaal voor jou geschreven. Je kunt het boek van begin tot einde lezen of hier en daar een stukje. Je kunt het alleen lezen of samen met je moeder, vader, oma of opa. Daarna kan je er samen met hen over praten. Beleef er veel plezier aan en weet dat je er niet alleen voorstaat. Heel wat kinderen hebben DCD. Met een beetje moeite hebben ze geleerd om te slagen. Jij kunt dat ook!

SURVIVALGIDSEN

De autisme survivalgids

Voel je je vaak anders dan anderen? Maak je moeilijk vrienden of ben je vrienden vlug weer kwijt? Ben jij geïnteresseerd in dingen die andere kinderen maar saai vinden? Word je zenuwachtig als de dingen niet gaan zoals je had gedacht? Doe je vaak dingen op precies dezelfde manier? Kunnen kleine details je helemaal opwinden? Raak je soms helemaal in de war van wat mensen zeggen? Heb je het moeilijk als andere mensen herrie maken?

Misschien werd bij jou wel autisme vastgesteld, maar… hoe moet je daarmee omgaan? Kun je wel gelukkig zijn op school? Hoe ga je om met vrienden? Hoe kun je rustig blijven als je de bus neemt? Of tijdens vervelende lessen? Als deze vragen wel eens in je opkomen, is dit boek vast iets voor jou.

IN DE AUTISME SURVIVALGIDS ONTDEK JE:

- hoe je kunt overleven in de klas, op feestjes, op vakantie, op het schoolplein, als je ziek bent, als je niet krijgt wat je wilt;
- wat je kunt doen als iemand boos is;
- hoe je kunt omgaan met huiswerk;
- wat je kunt doen als het allemaal te veel wordt;
- een heleboel leuke grapjes;
- interessante weetjes;
- … en nog veel meer

Dit boek is speciaal voor jou geschreven. In vijftien duidelijke hoofdstukken geven we heel wat praktische tips die je vaak zullen kunnen helpen. Deel ze zeker met je ouders, je leerkracht of andere volwassenen. Samen kunnen jullie de tips gebruiken zodat jij je beter kunt voelen. Want vergeet nooit: je bent niet alleen! Ten eerste zijn er heel wat kinderen die net als jij met autisme leven en ten tweede staan er heel wat mensen klaar om jou te helpen.

Zit jij ook altijd vooraan in de klas omdat je anders de leerkracht niet goed hoort? Moet jij soms ook meerdere keren aan een vriendje of vriendinnetje vragen wat hij of zij zegt? Heb je er moeite mee om iemand te verstaan als je in een lawaaierige omgeving bent? Draag je een hoorapparaatje of gebruik je een ander technisch toestelletje om beter te kunnen horen? Heb jij een cochleair implantaat (CI)? Heb jij een gehoorprobleem en wil je graag weten hoe je hiermee om kan gaan? Dan is dit boekje zeker iets voor jou.

IN DE GEHOORSTOORNIS SURVIVALGIDS ONTDEK JE:

- wat gehoorverlies is;
- welke gevoelens je hierbij kunt hebben;
- welke gehoorstoornissen er zijn;
- welke hulpmiddelen er bestaan;
- hoe je op school het best kan geholpen worden;
- welke bekende mensen een gehoorprobleem hebben;
- websites waar je informatie kunt vinden;
- toffe quizzen en leuke mopjes;
- ... nog veel meer

Dit boek werd speciaal voor jou geschreven. Er staan heel wat raadgevingen en tips in die je kunt gebruiken, ook van andere kinderen die een gehoorprobleem hebben. Je kunt het boek van begin tot einde lezen of hier en daar een stukje. Je kunt het alleen lezen of samen met je moeder, vader, oma of opa. Maar weet dat je er niet alleen voor staat. Er zijn heel wat kinderen met een gehoorstoornis. Net zoals zij, zal ook jij zeker slagen!

Vind je het moeilijk om aandachtig te zijn of om stil te zitten? Brullen ze soms naar je omdat je praat in de klas of rondloopt? Ben je dikwijls met je gedachten ergens anders? Verlies je huistaken? Raak je achter op school? Heb je je gedrag niet altijd onder controle? Je hebt misschien ADD of ADHD. Deze namen gebruiken volwassenen om kinderen met die uitdagingen te begrijpen en te helpen. Wanneer ze bij jou ADD of ADHD hebben vastgesteld, dan is dit een boek voor jou.

IN DE AD(H)D SURVIVALGIDS ONTDEK JE:

- wat ADD en ADHD betekenen en niet betekenen;
- hoe je het iedere dag thuis, op school of met vrienden wat beter kan laten gaan;
- hoe je kan omgaan met gevoelens als boosheid, zorgen en verdriet;
- weetjes over de geneesmiddelen die kinderen met ADD en ADHD gebruiken;
- een lijst van voedingsmiddelen die je kunnen helpen;
- grappige quizzen die je helpen herinneren aan wat je hebt geleerd.

Dit boek werd speciaal voor jou geschreven. Maar deel het met je ouders of een andere volwassene. Praat er samen over en probeer wat uit. Je wordt er samen sterker van en bovendien kan je er nog plezier aan beleven ook. Besef maar dat je er niet alleen voor staat. Heel wat kinderen hebben ADD of ADHD. Met een beetje moeite hebben ze geleerd om te slagen. Jij kunt dat ook!

Vind je sommige letters of woorden veel te moeilijk om te schrijven? Gaat de juf of de meester te snel bij een dictee? Lees je niet graag hardop in de klas? Denk je dat de andere kinderen om je zullen lachen als je moet lezen? Vind je rekenen veel leuker en gemakkelijker dan lezen en schrijven? Werd bij jou ook dyslexie vastgesteld en wil je graag weten wat dit woord wil zeggen en wat je er aan kunt doen? Dan is dit boekje zeker iets voor jou.

IN DE DYSLEXIE SURVIVALGIDS ONTDEK JE:

- wat dyslexie betekent;
- welke gevoelens je hierbij kunt hebben;
- hoe je hulp kunt zoeken;
- hoe je ook op school het best geholpen kan worden;
- welke bekende mensen ook dyslexie hebben;
- wat een lotgenootje en een mama vertellen;
- websites waar je informatie kunt vinden en leuke oefeningen kunt maken;
- leuke quizzen en grappige mopjes;
- … nog veel meer.

Dit boek werd speciaal voor jou geschreven. Lees het met je ouders, je juf of meester, je vriendjes en vriendinnetjes. Je kunt het natuurlijk ook in je eentje lezen. Beleef er veel plezier aan en weet dat je er niet alleen voor staat! Heel wat kinderen hebben dyslexie! Net zoals zij, zal ook jij zeker slagen!

SURVIVALGIDSEN

De dyscalculie survivalgids

Vind je sommige rekenoefeningen telkens opnieuw heel moeilijk om te maken? Gaat de juf of de meester te snel bij een rekentoets? Maak je niet graag een rekenoefening aan het bord? Denk je dat de andere kinderen om je zullen lachen als je moet rekenen? Vind je lezen en schrijven veel leuker en gemakkelijker dan rekenen? Werd bij jou ook dyscalculie vastgesteld en wil je graag weten wat dit woord wil zeggen en wat je eraan kunt doen? Dan is dit boekje zeker iets voor jou.

IN DE DYSCALCULIE SURVIVALGIDS ONTDEK JE:

- wat dyscalculie betekent;
- welke gevoelens je hierbij kunt hebben;
- hoe je hulp kunt zoeken;
- hoe je ook op school het best geholpen kunt worden;
- wat een lotgenootje vertelt;
- welke bekende mensen ook dyscalculie hebben;
- websites waar je informatie kunt vinden;
- toffe quizzen en lollige grapjes;
- … nog veel meer.

Dit boek werd speciaal voor jou geschreven. Lees het met je ouders, je juf of meester, je vriendjes en vriendinnetjes. Je kunt het natuurlijk ook in je eentje lezen. Je kunt het boek van begin tot einde lezen of hier en daar een stukje. Beleef er veel plezier aan en weet dat je er niet alleen voor staat! Heel wat kinderen hebben dyscalculie! Net zoals zij, zal ook jij zeker slagen!

Ben je snel ontroerd? Heb je bergen fantasie? Is eerlijkheid voor jou van het allergrootste belang? Merk je vaak heel veel details op? Ben je gevoelig voor de stemming van anderen? Ben je geregeld overprikkeld? Hou je van stilte en rust? Voel je je soms anders dan anderen? Doen harde geluiden soms letterlijk pijn? Ben je gevoelig voor geuren? Misschien ben je wel hoogsensitief en wil je weten hoe je daarmee moet omgaan?

Dan is dit boekje zeker iets voor jou.

IN DE HOOGSENSITIVITEIT SURVIVALGIDS ONTDEK JE:

- wat het betekent om hoogsensitief te zijn;
- welke verschillende vormen er bestaan;
- welke gevoelens je daarbij krijgt;
- welke problemen het kan veroorzaken;
- hoe je ermee kunt omgaan;
- hoe hoogsensitief zijn je leven ook leuk kan maken;
- wat je lotgenoten meemaken;
- welke hulp er is voor jou;
- ... en nog veel meer.

Dit boek werd speciaal voor jou geschreven. Lees het en leer hoe je met jouw bijzondere eigenschap kunt omgaan. Deel het met anderen, je ouders, je leerkracht... Je zult vooral merken dat je helemaal niet alleen bent en dat jouw bijzondere gevoeligheid heel wat positieve kanten heeft.

Ben je meestal als eerste klaar in de klas? Vind je de huistaken die je krijgt te gemakkelijk? Maak je je vaak zorgen? Voel je je vaak alleen en onbegrepen? Verwacht iedereen dat je schitterende cijfers haalt op school? Misschien werd bij jou wel vastgesteld dat je hoogbegaafd bent, maar... wat betekent het eigenlijk om hoogbegaafd te zijn? Zijn er anderen of ben je de enige? Ben je een zonderling, of zelfs een alien, of ben je eigenlijk normaal? Als al deze vragen je bezighouden, is dit boekje zeker iets voor jou.

IN DE HOOGBEGAAFDHEID SURVIVALGIDS ONTDEK JE:

- wat hoogbegaafdheid betekent;
- welke gevoelens het bij je oproept;
- wat een IQ-test is;
- waarom hoogbegaafd zijn niet altijd even leuk is;
- welke problemen het veroorzaakt;
- hoe je ermee omgaat op school;
- welke hulpprogramma's er bestaan op school;
- wat een kangoeroeklas is;
- welke valkuilen er zijn;
- hoe je met vrienden omgaat;
- verhaaltjes over lotgenoten;
- ... en nog veel meer.

Dit boek werd speciaal voor jou geschreven. Deel het zeker met je ouders of met andere volwassenen. Jij zult jezelf beter begrijpen en zij zullen jou beter begrijpen. Weet vooral dat je niet alleen bent: ten eerste zijn er heel wat kinderen die hoogbegaafd zijn en ten tweede staan er heel wat mensen klaar om jou te helpen.

Krijg je ook vaak de opmerking dat je te veel weegt of denk je zelf dat je te zwaar bent? Zou je hier graag iets aan doen, maar weet je niet goed wat? Schaam je je soms over hoe je eruit ziet, of als je eet? Doe je hard je best om op je gewicht te letten, maar heeft het niet veel effect? Heb je overgewicht en wil je het aanpakken? Dan is dit boekje zeker iets voor jou.

IN DE OVERGEWICHT SURVIVALGIDS ONTDEK JE:

- wat overgewicht is en wat obesitas is;
- hoe je het krijgt;
- welke gevoelens en gedachten je kan hebben als je overgewicht hebt;
- wat je eraan kan doen;
- wie je erbij kan helpen;
- wat een lotgenootje vertelt;
- websites waar je ouders informatie kunnen vinden;
- een boel oefeningetjes die je kunnen helpen een plan te maken;
- … en nog veel meer.

Dit boek werd speciaal voor jou geschreven. Je kunt het boek in één keer lezen, of hier en daar een stukje. Het beste kan je het ook laten lezen door je mama, papa, oma of opa zodat die jou ook kunnen helpen en je er niet alleen voorstaat. Heel wat kinderen hebben overgewicht. Verschillende kinderen hebben al geleerd hoe hier mee om te gaan en te zorgen dat ze een gezond gewicht kunnen krijgen. Ook jij kan dit!

LACH EN LEER

LACH EN LEER is **een reeks boekjes die gericht is naar de kinderen zelf.** De boeken proberen de problemen waarmee de kinderen worden geconfronteerd op een bevattelijke manier te schetsen en er eenvoudige oplossingen en tips voor aan te bieden.

Organiseer jezelf (zonder je hoofd te verliezen)

Tegenwoordig moeten kinderen zich zeer goed kunnen organiseren. Huiswerk maken, lessen leren, boekentas maken, buitenschoolse activiteiten opvolgen zoals sport, muziekschool... **Deze praktische maar ook humoristische gids** helpt kinderen hun tijd en taken goed te organiseren zonder uit de bocht te gaan. Kinderen leren hun wanorde overwinnen, prioriteiten leggen bij taken, geen zinloze tijd verliezen, projecten plannen. Ze zien de voordelen in van georganiseerd te zijn: minder stress en meer succes.
isbn: 9789059323445

Haal de Grrrr uit agressie

Kinderen hebben hulp nodig bij het beheersen van hun woede. Soms worden ze ontzettend boos en gaan over de schreef. Het boek bevat degelijke informatie maar is ook humoristisch opgevat met leuke tekeningen. **Dit boek helpt kinderen hun woede te begrijpen en hoe bij woede toch nog tot een positieve, gezonde oplossing te komen.** Kinderen zien in dat woede een normaal onderdeel is van het leven maar dat geweld geen oplossing is. Praktische suggesties met o.a. een stappenplan om tot relaxatie te komen.
isbn: 9789059323452

Huiswerk maken zonder ziek te worden

Het maken van huiswerk en het leren van lessen is een heuse opdracht. **Hoe plan je je huiswerk en je lessen? Waar maak je best je huiswerk?** Waarop let je bij het plannen van een langlopende taak? Op deze vragen biedt dit boekje een antwoord. Naast een tekst op maat van de jongeren met vele tips, schema's en tekeningen zijn ook tips voor ouders en voor leraren opgenomen.
isbn: 9789059324121

Hadden dino's ook al STRESS!!?

Steeds weer toetsen maken, lessen leren, presteren, altijd op tijd komen, doen wat anderen van je verwachten, honderden dingen tegelijk doen,... Je zou voor minder last krijgen van stress. Maar wat is stress eigenlijk? Heb jij er last van? En als je er last van hebt, hoe kun je jezelf er dan overheen helpen? Over deze vragen gaat dit boekje.

isbn: 9789059326941

Zeg vaarwel tegen uitstel! (En wel meteen)

Stapelt het **werk zich steeds maar op**? Kijk je aan tegen een berg to-do's en kun je er maar niet aan beginnen? Zoek je uitvluchten zoals: 'Mijn oma maakte de kachel aan met mijn rekenboek!' Kop op! Leer hoe je **gemotiveerd** wordt om iets af te werken. Leer de koe bij de horens vatten en DAG te zeggen tegen **UITSTELGEDRAG**!
En hou zo de zeurpieten op afstand!

isbn: 9789059326521

GAST, da's niet gepast! (Leer manieren)

Zijn **goede manieren** wel cool? Jazeker, ze zijn niet uitgevonden voor watjes! **Beleefdheid** is niet ouderwets of stom. Wil je op een **slimme manier met mensen omgaan** dan toon je je maar beter van je beste kant.

Haal dus snel die vinger uit je neus!

isbn: 9789059326545

Broer en Zus, eens en voor altijd?!

Jaagt je zus je soms in het behang? Haalt je broer je het bloed onder de nagels vandaan? Een **broer-zus-relatie** kent ups en downs. Maar je zus en jij kunnen echt maatjes worden, samen door vuren gaan, lol en geheimen delen…

Het begint allemaal bij jezelf!

isbn: 9789059326538